左传
诸侯争盟记

孙铁刚——编撰

九州出版社
JIUZHOUPRESS

图书在版编目（CIP）数据

诸侯争盟记 ：左传 / 孙铁刚著. -- 北京 ：九州出版社，2017.7
ISBN 978-7-5108-5642-6

Ⅰ. ①诸… Ⅱ. ①孙… Ⅲ. ①中国历史－春秋时代－编年体 Ⅳ. ①K225.04

中国版本图书馆CIP数据核字(2017)第172493号

诸侯争盟记：左传

作　　者	孙铁刚
责任编辑	李黎明
出版发行	九州出版社
地　　址	北京市西城区阜外大街甲 35 号（100037）
发行电话	(010)68992190/3/5/6
网　　址	www.jiuzhoupress.com
电子信箱	jiuzhou@jiuzhoupress.com
印　　刷	北京盛通印刷股份有限公司
开　　本	787 毫米 ×1092 毫米　32 开
印　　张	7.375
字　　数	145 千字
版　　次	2017 年 11 月第 1 版
印　　次	2017 年 11 月第 1 次印刷
书　　号	ISBN 978-7-5108-5642-6
定　　价	45.00 元

【总序】

用经典滋养灵魂

龚鹏程

每个民族都有它自己的经典。经，指其所载之内容足以做为后世的纲维；典，谓其可为典范。因此它常被视为一切知识、价值观、世界观的依据或来源。早期只典守在神巫和大僚手上，后来则成为该民族累世传习、讽诵不辍的基本典籍。或称核心典籍，甚至是“圣书”。

佛经、圣经、古兰经等都是如此，中国也不例外。文化总体上的经典是六经：《诗》、《书》、《礼》、《乐》、《易》、《春秋》。依此而发展出来的各个学门或学派，另有其专业上的经典，如墨家有其《墨经》。老子后学也将其书视为经，战国时便开始有人替它作传、作解。兵家则有其《武经七书》。算家亦有《周髀算经》等所谓《算经十书》。流衍所及，竟至喝酒有《酒经》，饮茶有《茶经》，下棋有《弈经》，相鹤相马相牛亦皆有经。此类支流稗末，固然不能与六经相比肩，但它各自代表了在它那一个领域中的核心知识地位，却是很显然的。

我国历代教育和社会文化，就是以六经为基础来发展的。直到清末废科举、立学堂以后才产生剧变。但当时新设的学堂虽仿洋制，却仍保留了读经课程，以示根本未隳。辛亥革命后，蔡元培担任教育总长才开始废除读经。接着，他主持北京大学时出现的“新文化运动”更进一步发起对传统文化的攻击。趋势竟由废弃文言，提倡白话文学，一直走到深入的反传统中去。论调越来越激烈，行动越来越鲁莽。

台湾的教育、政治发展和社会文化意识，其实也一直以延续五四精神自居，以自由、民主、科学为号召。故其反传统气氛，及其体现于教育结构中者，与当时大陆不过程度略异而已，仅是社会中还遗存着若干传统社会的礼俗及观念罢了。后来，台湾朝野才惕然憬醒，开始提倡“文化复兴运动”，在学校课程中增加了经典的内容。但不叫读经，乃是摘选《四书》为《中国文化基本教材》，以为补充。另成立文化复兴委员会，开始做经典的白话注释，向社会推广。

文化复兴运动之功过，诚乎难言，此处也不必细说，总之是虽调整了西化的方向及反传统的势能，但对社会普遍民众的文化意识，还没能起到警醒的作用；了解传统、阅读经典，也还没成为风气或行动。

二十世纪七十年代后期，高信疆、柯元馨夫妇接掌了当时台湾第一大报中国时报的副刊与出版社编务，针对这个现象，遂策划了《中国历代经典宝库》这一大套书。精选影响国人最为深远的典籍，包括了六经及诸子、文艺各领域的经典，遍邀名家为之疏解，并附录原文以供参照，一时朝野震动，风气丕变。

其所以震动社会，原因一是典籍选得精切。不蔓不枝，能体现传统文化的基本匡廓。二是体例确实。经典篇幅广狭不一、深浅悬隔，如《资治通鉴》那么庞大，《尚书》那么深奥，它们跟小说戏曲是截然不同的。如何在一套书里，用类似的体例来处理，很可以看出编辑人的功力。三是作者群涵盖了几乎全台湾的学术菁英，群策群力，全面动员。这也是过去所没有的。四，编审严格。大部丛书，作者庞杂，集稿统稿就十分重要，否则便会出现良莠不齐之现象。这套书虽广征名家撰作，但在审定正讹、统一文字风格方面，确乎花了极大气力。再加上撰稿人都把这套书当成是写给自己子弟看的传家宝，写得特别矜慎，成绩当然非其他的书所能比。五，当时高信疆夫妇利用报社传播之便，将出版与报纸媒体做了最好、最彻底的结合，使得这套书成了家喻户晓、众所翘盼的文化甘霖，人人都想一沾法雨。六，当时出版采用豪华的小牛皮烫金装帧，精美大方，辅以雕花木柜。虽所费不赀，却是经济刚刚腾飞时一个中产家庭最好的文化陈设，书香家庭的想象，由此开始落实。许多家庭乃因买进这套书，而仿佛种下了诗礼传家的根。

高先生综理编务，辅佐实际的是周安托兄。两君都是诗人，且侠情肝胆照人。中华文化复起、国魂再振、民气方舒，则是他们的理想，因此编这套书，似乎就是一场织梦之旅，号称传承经典，实则意拟宏开未来。

我很幸运，也曾参与到这一场歌唱青春的行列中，去贡献微末。先是与林明峪共同参与黄庆萱老师改写《西游记》的工作，继而再协助安托统稿，推敲是非、斟酌文辞。对整套书说不上有什么助益，自己倒是收获良多。

书成之后，好评如潮，数十年来一再改版翻印，直到现在。经典常读常新，当时对经典的现代解读目前也仍未过时，依旧在散光发热，滋养民族新一代的灵魂。只不过光阴毕竟可畏，安托与信疆俱已逝去，来不及看到他们播下的种子继续发芽生长了。

当年参与这套书的人很多，我仅是其中一员小将。聊述战场，回思天宝，所见不过如此，其实说不清楚它的实况。但这个小侧写，或许有助于今日阅读这套书的大陆青年理解该书的价值与出版经纬，是为序。

【导读】

史界革命之书

孙铁刚

一提起中华文化，我们就会异口同声地说中华民族有五千年的历史文化。五千年来，中华民族一直活跃在人类的历史舞台上，从不间歇。在我们居住的地球上找不到第二个与我们中华民族一样悠久而绵延不断的民族。是什么因素造成中华民族不停的新陈代谢，保持民族的活力，创造历史的新篇章呢？或许是我们中华民族看重历史的关系，使得我们中华民族成为人类历史上的巨人。

我们的祖先为了把他们在开创历史期间所得到的经验与智慧传授给他们的子孙，留下了浩若瀚海的历史书籍，《左传》便是其中的一部。

《左传》是我们早期历史书籍中最重要的一部。近代的大学者梁启超说《左传》是“商周以来史界之革命”，又说《左传》“实两千年前最可宝贵之史料”。当代中国史学大师钱穆先生说：“我认为我们要读古代的中国史，我们便应该拿这部《左传》作我们研究的一个基准。”钱先生还认为如果我们要读二十四史，便应先读《史记》、《汉书》，然后再读《后汉书》、《三国志》，把这四史读熟了，其余就有办法了。但是，钱先生接着说："《左传》又是读四史的基准。"《左传》的价值由此就不难窥见了。其实，《左传》的价值还不仅在于此，我们研读《左传》还能带给我们"鉴往知来"的历史智慧，帮助我们处理社会事务。

由于《左传》是战国时代的著作，我们今天的语言文字和当时的语言文字有相当的差异，自然不容易了解。本书是想做一个通往《左传》原典的桥梁，希望阅读过这本小书的读者，有朝一日，能够阅毕《左传》原典，窥见中国历史殿堂的宫室之美、百官之富，同时，吸取先哲先贤的智慧。

因此我就没有重新改写《左传》上的史事，而选取了一些代表性的史事，翻译成语体文。由于《左传》是一部卷帙浩繁的大部头著作，从两汉以来又有争辩不休的问题，至今没有一本较完善的注释。又受到笔者学力的限制，再加上交稿时间的紧迫，因此，虽然笔者尽量避免错误，但也不敢肯定所有的翻译全是正确的。对于这些缺失和不完善的地方，尚祈读者不吝地指示与斧正。

我们读书，常常是只言片语启发了我们的思想，民国初年，学者吕思勉曾经说过："然学问之道贵自得之（求学问的方法、窍门，自己找到的才是宝贵的），欲求自得必先有悟入处（要想自己找到方法、窍门，必定是先对于某一个问题、某一道理，能够了悟，能够豁然贯通）。而悟入之处，恒在单词只义，人所不经意之处（而常常是单对于某一个问题，某一个道理的了悟，豁然贯通，常常是因为对于一个字义的认识，或一个词汇的了解所引发的，而是别人所不注意的地方），此则会心各有不同，父师不能以喻之子弟者也（这因为心领神会各人与各人不相同，父亲不能教给儿子，老师不能教给学生）。”比如说太史公司马迁作《史记》是要“究天人之际，通古今之变，成一家之言”的，而我们读《史记·萧相国世家》时却了悟了太史公所不经意的“功人”和“功狗”。汉高祖说：“夫猎，追杀兽兔者狗也，而发踪指示兽处者人也（打猎的时候，追逐扑杀野兽、兔子的是狗；而发现野兽踪迹，指示野兽在什么地方的是人）。今诸君徒能得走兽耳，功狗也（今天你们各位若能捉住那些逃走的野兽，这只能算是有功的狗）。至如萧何发踪指示，功人也（至于萧何发现野兽踪迹，指示野兽所在，这才算是有功的人）。”而悟出“功人”与“功狗”的不同，才能使我们立身行事，出处进退，特别警惕，格外谨慎。虽然这本小书一定有许多缺失和错误的地方，但是《左传》本身的内容太丰富，《左传》本身的情节太精彩，或许读者仍然能够获得其中“鉴往知来”的历史智慧，或许读者得着其中“单词只义”而有所悟。

最后，借用庄子的“得鱼忘筌”、“得意忘言”，与读者共勉，吸取真理与智慧，放弃符号的糟粕。

目 录

附录　原典精选

前言：认识《左传》

秦始皇在他消灭六国、统一天下之后的第八年（公元前213年），听从了丞相李斯的“有文学诗书百家语者，蠲除去之”，“若有欲学者，以吏为师”的建议，颁布了“挟书律”，于是“收去诗书百家之语，以愚百姓，使天下无以古非今”。在“挟书律”颁布后的第八年（公元前206年），项羽率领起义军打入关中，占领咸阳，一声令下，秦始皇苦心营建的阿房宫“付之一炬”，结果，连带把秦始皇帝所搜罗来的天下图书也全烧光了。直到“挟书律”颁布后的第二十三年（公元前191年），汉惠帝才撤销“挟书律”。这给中国先秦时代的书籍带来了灾难，也引发了今文经学与古文经学两千多年喋喋不休的争辩。《左传》在这场争辩之中，始终是个很重要的角色。

《左传》的来源

《左传》这本书，究竟在什么时候出现就是一个争论不休的问题。关于《左传》的出现时代，有三种说法：一、《左传》是汉初张苍献出来的；二、《左传》是汉武帝时代从孔子讲学课堂的墙壁夹层中发现的；三、《左传》是西汉成帝晚年，刘歆从汉朝皇宫的秘府（书库）中找到。这三种说法，约略来说，一是《左传》出现在汉朝初期，二是汉朝中期，三是汉朝晚期。

关于第一种说法，是东汉许慎说的。张苍是位深晓文献、章典、法律和历法的人，他在秦朝时曾为御史，汉初助理萧何掌管全国财赋，到汉文帝时，官至丞相。关于张苍献《左传》的事情，很多学者不予承认。他们所持的理由：一、许慎根本是东汉时代古文经学的学者和赞助人，许慎的立场有偏差，恐怕许慎的主张有成见。二、西汉其他的书籍上不曾出现张苍献《左传》的记录。三、对于《史记·十二诸侯年表》上的“鲁君子左丘明惧弟子人人异端，各安其意，失其真，故因孔子史记，具论其语，成《左氏春秋》”，近代今文经学家证明这段文字是古文经学家窜改《史记》，应当删除。因此，不能采用这段史料来证明武帝之前已经出现了《左传》。

第二种说法是东汉初年王充所提出来的。王充在他的《论衡》中说汉武帝时鲁恭王要为自己建宫室，拆除孔子的讲学课堂，在拆除孔子讲学课堂的时候，从墙壁之中发现了十篇《左传》。对于这个说法，清朝的大学者段玉裁说是“恐非事实”。由于王充是东汉初年人，在西汉的文献之中也找不到这样说法的佐证。

第三种说法是西汉末年大学者刘歆说的。汉武帝很重视他的藏书，他设置写书官，抄写很多遗失的古书。汉成帝在河平三年（公元前 26 年），命令陈农四处搜罗书籍，又命刘向、任宏等人校理宫中所收藏和搜罗来的书籍。刘向校理藏书将近二十年，在成帝绥和元年（公元前 7 年）去世。刘向的儿子刘歆继承父业，继续校理宫中的藏书。在第二年汉哀帝建平元年，刘歆指责当时太常博士的信中，曾说：“《春秋左氏》，丘明所修，皆古文旧书，藏于秘府（宫中书库），优而未发。孝成皇帝闵学浅文缺，稍离其真，乃陈发秘藏，校理旧文，得此三事（按三事指《左传》、古文《尚书》和《逸礼》）。”

若依据刘歆所言，《左传》就是在这个时间发现的。但是晚清今文经学家康有为著《新学伪经考》，考定《左传》是刘歆所窜改伪造的。民国十八年钱穆先生的《刘向歆父子年谱》就是针对《新学伪经考》而作的，平反了《左传》是刘歆伪造的这个问题。他又认为《左传》在刘歆写信指责太常博士书之前已经发现。钱穆先生另在《两汉博士家法考》中指出太史公司马迁确已看见《左传》。换言之，不承认刘歆在秘府中发现《左传》了。

总之，《左传》究竟什么时候出现，到现在还没有真正解决这个问题。但是一般人多偏向《左传》在汉朝初年就出现的说法，认为太史公作《史记》时，已经博采《左传》上的记载了。

《春秋》与《左传》

按照传统的说法，《春秋》有三传，即《左传》、《公羊传》、《穀梁传》。《春秋》有三传的说法是怎么产生的呢？儒家到了战国晚期已成显学——也就是重要而有影响力的学派，儒家所传习的《诗》、《书》、《礼》、《乐》、《易》、《春秋》都被尊为经，凡是解说这六经，而集结成为书籍就称为传，因此，每种经书的传，也就是一个学派学说的结晶。汉景帝任命胡毋生与董仲舒为“春秋博士”。胡毋生和董仲舒两人都是“公羊学派”的传人。他们从公羊学的传统去解说《春秋》。汉宣帝时立《穀梁》于学官，而刘向就是治《穀梁》而立为博士。

自刘歆请求为古文《尚书》、《逸礼》、《左氏春秋》建立于学官，设置博士之后，今古文经学的纷争开始，由此今古文经学的旗帜明显。到了汉光武帝时，《左传》终立博士。到东汉末年郑玄混合了今古文经学之后，《左传》的声势日盛，而压倒了《公羊》、《穀梁》二传。这就是《春秋》三传的起源。其实，西汉时代，《春秋》除《公羊》、《穀梁》、《左氏》三传之外，还有《邹氏传》、《夹氏传》等其他解说《春秋》的传。到东汉班固写《汉书》的时候，《邹氏传》和《夹氏传》等已经失传。

自汉哀帝建平元年（公元前 6 年）到清末民初的今古文经学之争，“《左传》是不是传《春秋》之学”，就成为一个关键问题。今文经学者认为《左传》是不传《春秋》之学的，古文经学者认为《左传》是传《春秋》之学的。这个争辩两千多年来的问题，在今天中国的学术界似乎已经不成为问题。所以会有这样的局面，可分两方面来说：第一，不少学者接受清朝中期今文经学大家刘逢禄的说法，他在《左氏春秋考证》提出《左传》不传《春秋》之学的说法。第二，多数的现代学者相当漠视《春秋》这本书。多数的现代学者对于《春秋》所抱持的态度：即使不否认孔子作《春秋》这件事，也绝不肯定孔子作《春秋》；即使肯定孔子作《春秋》，但只认为《春秋》不过是“断烂朝报”，不过是“村店所用之流水账本”，绝不承认《春秋》有什么“微言大义”。总之，《春秋》是没有什么价值的书；因为《春秋》没有什么价值，根本就不理会《春秋》与《左传》的关系。

至于《春秋》是不是孔子所作的呢？我们先看看，那位与孔子相距一百多年而愿学孔子的孟子的说法。孟子说：“世衰道微（社会风气日渐衰落，天下为公的大道愈来愈不能推行了），邪说暴行有作（邪僻的论调、残暴的行为又兴起盛行），臣弑其君者有之（有臣子杀君主的事情），子弑其父者有之（有儿子杀父亲的事情）。孔子惧（孔子深深忧虑这种情况），作《春秋》（于是写下《春秋》这部书）。”我们再看看，那位与孔子相距四百年左右而对孔子“心向往”的太史公司马迁的说法。太史公说：“子曰：‘弗乎（不可以这样白过一生）！弗乎（不可以这样白过一生）！君子病没世而名不称焉（君子不能留名后世也是抱憾终身的事）。吾道不行矣（我主张天下为公的道理不能实践了），吾何以自见于后世哉（我怎么才能让后世的人认识我呢）？’乃因史记作《春秋》（于是根据过去的史书写下了《春秋》这部书），上至隐公（向上追溯到鲁隐公），下讫哀公十四年（向下写到鲁哀公十四年），十二公（上下包括十二个鲁国的国君）。”根据孟子与太史公的说法，孔子作《春秋》是应无疑问的。但是近人钱玄同认为“孟子书中‘孔子作《春秋》’之说，只能认为与他所述尧、舜、禹、汤、伊尹、百里奚底（的）事实一样，不信任它是真事”。而顾颉刚则说：“孟子以前无言孔子作《春秋》的。孟子的话是最不可信的。”如此，他们就否定孔子作《春秋》。如果孟子和太史公的话不真、不可信，那么，我们又应该相信谁的呢？

《春秋》是一部什么样的书呢？在这里只简单介绍孟子和太史公的说法。孟子说：“孔子作《春秋》而乱臣贼子惧（孔子作成《春秋》之后，作乱的臣子、不肖的儿子都害怕了）。”太史公说：“夫《春秋》，上明三王之道，下辨人事之纪（《春秋》阐明了三王的天下为公的大道，辨清了种种人间事务的法度）；别嫌疑，明是非，定犹豫（分辨了疑虑，弄明了真理，定夺了迟疑不决）；善善恶恶，贤贤贱不肖（褒扬好人，严惩坏蛋，推举贤能的官吏，废除无能的官吏）；存亡国、继绝世（救助遭受侵略而面临亡国危机的国家，扶持国内政权移转而发生问题的国家）；补敝起废（修理破坏缺失的，启用闲置不用的）；王道之大者也（这些是推行天下为公之道的荦荦大者）。”从这些话看来，我们认为孔子确实是把他的“微言大义”寄寓在《春秋》这部书里了。

事实上，在隋唐以前，《春秋》比《论语》受人看重。到北宋《论语》才取得和《春秋》同等的地位。直到程颢、程颐和朱熹提高了《论语》的地位，《论语》才超过了《春秋》。

如果不再墨守今文经学与古文经学的门户，我们认为公羊、穀梁与《左传》都传《春秋》之学，《公羊》、《穀梁》传的是《春秋》之义，而《左传》所传的是《春秋》之事。所谓《春秋》之义，就是讲《春秋》一书中所寓有的一些抽象的理论；所谓《春秋》之事，就是讲《春秋》一书中的具体史事。

《左传》的著作时代

太史公在《史记》中写道："鲁君子左丘明惧弟子人人异端（鲁国的君子左丘明，忧虑孔子的弟子人人讲的不同），各安其意（各人按照各人的意见去讲《春秋》），失其真（丧失了原始的本意），故因孔子史记具论其语（所以根据孔子作《春秋》的史料，详细叙述史实的原委），成《左氏春秋》（写成了《左氏春秋》）。"从这里，我们知道两件事。第一件，《左氏春秋》是传《春秋》之事。第二件，《左氏春秋》是在孔子《春秋》作成后不久，左丘明写的。

关于《左氏春秋》的作者，西汉的太史公、刘向、刘歆，东汉的班固等人都认为是左丘明写的。但自北宋开怀疑经书的风气之后，《左氏春秋》的作者，就有许多说法，如：王安石认为左氏是战国时代的人；叶梦德认为《左氏春秋》是战国与秦之交时候的人所作；郑樵认为《左氏春秋》是战国时代楚国人所作等等。清代学者中有很多人认为《左传》不是春秋末年左丘明所作。晚清今文经学家康有为认为现存的《左氏春秋》是刘歆伪造。

民国初年“古史辨运动”时期的学者，受康有为的影响，又掀起考证《左氏春秋》的作者的风气。首先，卫聚贤作成《〈左传〉的研究》一书，考定《左传》是孔子的学生子夏所作，然后子夏传给卫国左氏地方的吴起。《左氏春秋》，因吴起是左氏地方人而得名。后来，瑞典高本汉（Bernhard Karlgren）作《论〈左传〉真伪及其性质》（*On the Authenticity and the Nature of the Tsochvan*），高氏对于《左传》有两点看法：一、在焚书之前就存在了，《左传》的著作时代在公元前468到前300年之间。二、从文法证明《左传》不是鲁国人的作品。清朝乾嘉学者姚鼐认为左氏之书不是一人所著成，而是吴起对于魏国史事加以添造、加以美化而成的。这引发了钱穆先生提出了吴起传《左氏春秋》否定了左丘明传《左氏春秋》的说法。

为什么会产生《左氏春秋》（或称《左传》）不传自左丘明的说法呢？一方面是由于今文经学与古文经学之举而产生，今文经学家一口咬定《左氏春秋》是刘歆伪造。另外一方面，《左传》之中记载了许多发生在孔子之后的事情，《左传》之中有许多卜者的预言都很灵验，因此，考定《左氏春秋》绝非孔子同时人左丘明所作。关于今文经学家所主张《左传》是刘歆伪造的说法，经过民初以来学者的研究与讨论，这种说法已经不成立了。至于《左传》不是左丘明所作而是其他人所作的说法，在这里且提出我们的看法。自清朝中叶章学诚之后，我们对于先秦的著述体裁才有进一步的认识。章氏提出孔子以前无私人著述。章氏并对于战国时代的私人著述有他独到的解说："诸子之奋起，……每有得于大道之一端，而遂欲以之易天下，其持之有故，而言之成理者，故将推衍其学术，而传之其徒焉。苟足显其术而立其宗，而援述于前，与附衍于后者，未尝分居立言之功也。故曰，古人之言，所以为公也。未尝矜其文辞，而私据为己有也。"根据这些话，我们知道战国时代的私人著述，其实都是一家之言。换句话说，也就是一个门派的学说。依照这种观点，我们可以一本一本来讨论战国时代的私人著述。如《孟子》一书，不是孟子本人所著，而是孟子这个门派的著述。《墨子》、《庄子》、《荀子》等书也是一样。这样就不会对于一本书的著作时代断断相争，辩论不休了。对于《左传》，我们也是持这个观点，认为《左传》也是一家之言。《左传》既是一家之言，自然不会是左丘明一人所作，而有后人添枝加叶的部分，因此《左传》之中载有左丘明之后的史事就不足为奇了，并不因为《左传》有左丘明之后的史事就否定了左丘明作《左氏春秋》。基本上，我们认为《左氏春秋》是孔子同时人左丘明所作而经过后人的添加增补。

《左传》与《国语》

《左传》与《国语》这两部书也有很大的纠葛。民国初年对于《左传》与《国语》的关系，不少学者从事厘清。《左传》与《国语》的关系，有四种不同的主张：第一，《左传》和《国语》是两部书，同为左丘明所作。两汉的学者如太史公司马迁等人就是这种主张。第二，《左传》与《国语》原是一书，后来割裂为二。晚清今文经学家主张尤力，康有为根本认为刘歆伪造《左传》，就是由《国语》割裂而来。第三，认为《左传》与《国语》不是一人所作。第四，认为《左传》与《国语》两书不是从一本书割裂而成。

今人张以仁先生作《论〈国语〉与〈左传〉的关系》，比较《左传》、《国语》与《史记》，判定《左传》与《国语》绝不是由一书分裂而成。又作《从文法、语汇的差异证〈国语〉、〈左传〉二书非一人所作》，判定《左传》、《国语》不是同一人所作。换言之，张氏主张《左传》与《国语》原是不同两人所作的书。张氏这种主张为多数今日学者所接受。厘清了《左传》与《国语》的关系，确定了《左传》不是从《国语》一书之中割裂而成的。

关于《左传》的注译

语言文字经过时间就会有所改变，时间相距越久，语言文字就相差越大。《左传》是一部先秦时代的书籍，因此需要注释。在这里把关于注释《左传》的情形，做一个简单的介绍，提供阅读《左传》原典的参考。

在东汉初年就有贾逵作《左氏传解诂》，东汉后期又有服虔作《春秋左氏传解》。西晋杜预作《左传集解》，杜预《左传集解》直到今天还被公认为《左传》的标准注解本。唐代孔颖达把《春秋经》、《左传》和杜预的《左传集解》合在一起解释，作《左传正义》。自唐代颁定五经正义之后，服注的《左传》就不传了。从唐代经宋、元、明、清，直到今天，对于《左传》有不少专门研究的著作，但对于《左传》一书做全面注释的书却不多，只有清朝洪亮吉的《左传诂》等少数的书。日本人竹添光鸿在1893年成《左传会笺》一书，这本书目前相当流行。此外，清代刘文淇著有《春秋左氏传旧注疏证》。

在这些注释之中，以刘文淇的《春秋左氏传旧注疏证》最好。可惜这部书只写到襄公五年，大约只有《左传》全书的一半。事实上，《春秋左氏传旧注疏证》是刘氏祖孙三代的未竟之业，大概在清朝嘉庆年间，刘文淇就开始着手《春秋左氏传旧注疏证》的工作，先后作了四十年，整理出来八十卷的长编，有稿数十巨册；接着由他的儿子刘毓崧继承父业；等到毓崧去世之后，又由长子寿曾承继祖业；然后，毓崧的二子贵曾、三子富曾也都参与祖业，但是仍未完成。如今，非但《春秋左氏传旧注疏证》没有完成，而且那数十巨册的长编稿也不知下落了。数十巨册的长编稿在什么时候遗失的呢？民国八年，刘富曾在写他的亡侄刘师培的墓志铭上说，他曾想回老家，和刘师培一起重整祖先的《左传疏证》的旧业。由这件事情，我们可以推断那数十巨册的长编稿，在民国初年仍然存在。从刘氏的《春秋左氏传旧注疏证》一稿，我们知道研究学问不是一蹴可就的，而是经年累月，世代相承的事业；同时，我们也知道学术文化与国家的政治、社会的安定息息相关。中国自晚清以来，社会动荡，所损失的又何止是那数十巨册的《春秋左氏传旧注疏证》长编稿呢？今文经学与古文经学之争，又何尝不与秦汉之际的社会不安有关呢？

《左传》荟萃

郑庄公打跑他弟弟共叔段

隐公元年（公元前 722 年）

原先，郑武公娶了位申国的女子姜氏为妻，姜氏生了郑庄公和共叔段。由于姜氏生郑庄公的时候难产，饱受一场痛苦与虚惊，所以很讨厌郑庄公，给庄公取了一个名字叫“寤生”，而很宠爱共叔段。于是姜氏屡次要求郑武公立共叔段为国君继承人，郑武公一直不答应。等到郑庄公即位之后，姜氏为共叔段请求把制（在今河南省巩义市东）这个地方作为封邑。郑庄公假装好心地说道：“制是个形势险要的地方，从前虢叔就因为凭恃制这个地方的形势险要，而不去修行品德，结果在那个地方丧失性命。如果请求其他的城邑，那么我就唯命是听。”于是，姜氏要求把京（在今河南省荥阳市东南）这个城邑封给共叔段，郑庄公答应了，让共叔段领有那个城邑，所以大家称共叔段为京城太叔。

这时候郑国的大夫祭仲（zhài zhòng）说道：“一个城邑的大小超过三百方丈，那是有害国家的。先王所定的制度，大的城邑不超过国都的三分之一，中等的城邑不超过国都的五分之一，小的城邑不超过国都的九分之一。如今京的城邑已经太大了，不合先王的制度。您将会承受不了，无法控制的。”庄公回答：“我母亲姜氏要这样做，我怎能躲避得了这些灾难？”祭仲接着说：“姜氏哪里会有满足的？不如早为共叔段做个安排，不要让他的势力滋长蔓延，一蔓延开来就不好对付。蔓延的野草尚且不容易除尽，何况是一国之君的宠弟？”庄公说：“多行不义，必定自取灭亡，您姑且等着瞧吧！”

不久，共叔段擅自下令把郑国西边和北边的边邑一面属于庄公，一面又属于自己。郑国的另一位大夫公子吕说：“一个国家不容许有两个人统治，您将如何处理这件事？如果把郑国交给共叔段统治，就请您允许我去侍奉他；如果不把郑国交给共叔段，那么就请求您把他除去，不要使民生二心。”庄公说：“用不着，共叔段不久就会自食其咎的。”

没多久，共叔段把原先属于两个人统治的地方，干脆收归己有，并且扩张到禀延（在今河南省延津县北）。公子吕着急地说：“行了！行了！土地再扩大，就更有不少人要归附他了。”庄公说：“一个多行不义的人，是没有人会归附他的，土地扩大只会加速他的败亡。”

同时，共叔段修葺城墙，聚集人民，制造铠甲、武器，训练步兵、车兵，准备偷袭郑国国都。姜氏预备做内应，负责开城门。郑庄公连共叔段偷袭的日期都知道了，才说道：“行了！”命令公子吕率领兵车二百辆去讨伐京。京地人民反叛共叔段。共叔段于是逃到鄢（在今河南省鄢陵县）去了。庄公又领兵伐鄢。五月二十三日，共叔段又逃亡到共国（在今河南省辉县市）。

于是，庄公把姜氏放逐到城颍（在今河南临颍县西北），并对她发誓说："今后我们除了到地下的黄泉，是不会见面了。"不久，庄公很后悔他发了这个誓。

颍谷（在今河南省登封市西南）管理疆界的官叫做颍考叔的，听到了这件事，就献些物品给庄公。庄公款待他吃饭，他吃饭的时候故意不吃肉，庄公问他什么缘故？他对答道："我家中有母亲，我母亲吃过我所有的食物，而没吃过国君的食物，我想要求您把这些食物留给我母亲。"庄公感叹说道："你有母亲，可以送东西给她，而我却没有。"颍考叔说："斗胆冒犯您一句，您说这话是什么意思？"庄公说出了事情的原原本本，并且告诉他现在的悔意。颍考叔回答说："您对这事有什么好忧虑的？假如，挖个地道一直挖到地下的泉水，在地道里和您母亲姜氏相见，那么，又有什么人能说这是不对的呢？"庄公按照颍考叔的话去做。庄公进入地道中唱着："大大隧道中，快乐也融融。"姜氏走出地道时也唱着："大大地道外，高兴又痛快。"母子的感情就从此恢复了。

君子说：颍考叔真是个孝子。他爱他的母亲，扩大影响到郑庄公也能爱他的母亲。《诗经》上有句诗："孝子不匮，永锡尔类。"——孝子的孝没有穷尽，永久把它给予你的同类——大概是说这种情况吧！

周平王与郑庄公交换人质

隐公三年（公元前720年）

郑武公与郑庄公父子都做过周平王的卿士，掌管周朝王室的政治；后来周平王想让西虢公分享郑庄公的权力，就不再专任郑庄公。因此郑庄公怨恨周平王。由于周平王怕得罪郑国，当庄公问起这件事时，周平王却回答说：“没这回事。”所以周朝王室和郑国互相交换人质，周平王派王子狐到郑国做人质，郑国派公子忽到周王室那里做人质。三月二十五日，周平王驾崩，周朝王室准备起用西虢公当政。四月，郑国大夫祭足率领军队到王畿之内的温地（在今河南省温县西南）去践踏麦田。同年的秋天又到洛邑（在今河南省洛阳市东郊）去践踏禾田，周王室与郑国的感情更加破裂，彼此憎恨益深。

君子评论这件事说：诚信不发自内心，虽交换子弟作为人质，是没多大作用的。假如彼此能够互相了解，互相体谅，只要用礼来互相约束，虽然没交换人质，谁又能够离间得了呢！只要互相了解，互相信任，山涧、溪谷、沼泽、小渚上的毛草，大蘋（píng）、白蒿、聚藻、水草之类蔬菜，竹筐、铁锅之类的器具，停积的水、流动的水，都可用来祭享鬼神，都可用来进奉王公。何况正人君子缔结两国的邦交，按礼来行事，哪里需要用人质来保证呢？《诗经·国风》的《采蘩》、《采蘋》诸篇，《大雅》的《行苇》、《泂酌》诸篇就在说明忠信之行的道理。

郑国大败北戎

隐公九年（公元前 714 年）

北戎（分布在今太行山山麓一带）侵犯郑国，郑庄公率领军队抵抗，他忧虑北戎的军队说道："他们是步兵，我们是车兵，我们战车不易调度，难于忽进忽退，我担心北戎不与我们正面作战，而从我们后面突击。"郑庄公的儿子公子突说："先派一批勇敢壮士试探攻击北戎，然后赶快撤退，以引诱北戎追击，同时您准备三道伏兵等待北戎。戎人性情轻浮而队伍不严整，贪婪而不互相亲爱，战胜不相退让，战败不相援救，前锋部队看见胜利一定赶快前进，前进遭遇埋伏一定尽快逃跑，在后面的部队是不会援救的，那么他们就失去救应，我们就可以获胜了。"郑庄公听从了公子突的建议。果然，戎人的前锋部队遭遇埋伏而逃跑了。郑国大夫祝聃带兵从后面追赶，包围了一部分北戎军队，前后夹击，全数歼灭。其余的北戎军队赶快逃跑。十一月二十六日，郑国人大败北戎的军队。

滕侯、薛侯争居首席

隐公十一年（公元前712年）

鲁隐公十一年春，滕侯（滕国在今山东省滕州西南）、薛侯（薛国在今山东省滕州南）来朝见鲁隐公。他们两人争居首席。薛侯说：“我们的祖先先受封，我的资格老，应该居首席。”滕侯说：“我是周王朝廷的卜正之官。薛是众姓，我不可以屈居他之下。”

鲁隐公派公子翚（huī）代表自己请求薛侯说：“承您和滕国国君屈尊来访问我国，我实在感激不尽，周人有句谚语说：‘山上有木材，工匠去割裁；宾客有礼仪，主人择所宜。’周人所主持的会盟，异姓在后面。假如我们鲁国国君到薛国朝见，也不敢和诸任姓国家争先。如果您屈尊惠临敝国，则请求您允许滕侯位居您之上。”

薛侯答应了，于是滕侯居于首席。

公子翚派人刺杀鲁隐公

隐公十一年（公元 712 年）

公子翚为了想做鲁国的太宰（执政官），因此在鲁隐公面前讲鲁桓公的坏话，主张把桓公给杀了。鲁隐公反而说："就因为过去他年少，我才代他摄理政事，现在他年岁长大了，我要把君位交还给他；我还准备在菟裘（在今山东省泗水县西北）修筑宫室，打算在那里养老。"公子翚听完隐公这一番话之后，看看计不得逞，不由得心生恐惧，于是反过来在鲁桓公的面前说隐公的坏话，而请求桓公把隐公杀了。

当鲁隐公还是做公子的时候，曾率领军队与郑国的人在狐壤（在今河南省禹州市东南）交战，结果，被俘虏了，郑国人把他囚禁在郑国大夫尹氏那里，隐公贿赂尹氏，而祭祀祷告尹氏的神主——钟巫，然后和尹氏一同回到鲁国，而在鲁国设立了钟巫的祭祀。隐公十一年十一月，鲁隐公去祭祀钟巫，在社圃那个庭园中斋戒，住在鲁国大夫寪（wěi）氏的家里。十一月十五日，公子翚派刺客把在寪氏家中的鲁隐公杀了。然后拥立桓公，派兵讨伐寪氏，并杀死了一干人。

季梁谏止追击楚军

桓公六年（公元前706年）

楚武王侵伐随国（在今湖北省随州市），一面派遣大夫薳（wěi）章到随国去求通好，一面派遣军队驻扎在瑕（在今湖北省随县），等待时机。随国派遣少师莅盟。

楚大夫斗伯比对楚武王说："我们楚国对于汉水以东小国的计划，没有达到预定的目标，这是因为我们策略有错误所造成的。我们原来的策略是，扩张军队，更新军备，而用武力去威胁他们各国。他们却因为恐惧我国的军力，团结合作，对付我们；所以我们很难离间他们得到利益。汉水以东各国之中，随国最大。随国的势力若是扩张，必定抛弃其他小国，造成汉水之东各小国之间离心离德，而不团结合作。这样，我们楚国就能得到利益。随国少师为人傲慢，让我们毁损军容，像是不堪一战的军队去引诱随国扩张势力。"楚大夫熊率（lǜ）且比说："随国贤大夫季梁还在，这样有什么用处？"斗伯比说："这是长久之计，将来终会发生效用的。因为少师得到随君宠信，随君迟早会听从少师的意见。”楚武王听从斗伯比的建议，毁损军容，去接纳少师。

少师回到随国之后，请求随侯追击楚军。随侯正要答应少师请求的时候，季梁出来阻止，说：“现在正是上天把好运交给楚国的时候，楚国的国势蒸蒸日上，楚国表现出不堪一击的军容，那是他们想引诱我们上当的，我主君何必那么急呢？臣听说一个小国之所以能对抗大国，就在于小国能按天道办事，而大国却胡作非为。所谓天道，就是对人民尽忠，对鬼神守信。在上位的人苦心思虑人民的利益，这就是忠；祝史祭祀时的祝祷不夸张、不欺骗，这就是信。如今人民肚子饿得吃不饱，而君主只想放纵自己私欲；祝史祭祀鬼神祷告，总在夸张功德，欺骗鬼神。臣不认为这样是可以的。”随侯说：“我祭祀所用牛、羊、豕三牲，毛色纯正，形体肥大，小米高粱，丰盛齐备。为什么不能算是对神守信？”季梁回答：“人民是鬼神的主人。因此古代圣王先养人民，使他们有所成就，然后才致力于侍奉鬼神。所以奉献牺牲祝祷时，说‘硕大而肥美’，这是说人民的力量普遍存在，人民所饲养的牲畜肥大而繁盛，人民的牲畜皮毛纯洁而没有癣疥，各种物品具备不缺。奉献装着黍稷的祭品祝祷时，说‘黍稷百谷，丰盛齐备’，这是说春、夏、秋三季没有灾害，可以尽力耕耘，人民同心协力，而年岁丰收。奉献美酒祝祷时，说‘嘉谷酿造美酒’，这是说我们无论居上位或在下位的人，都有美德，都不存邪心。所谓香酒可以远闻，而人心本不邪恶。所以，我们在春、夏、秋三季要专心工作，要好好学习父义、母慈、兄友、弟恭、子孝五种做人的道理，要亲爱自己的亲戚宗族，然后才致力于祭祀鬼神。如此，人民才能同心协力，而得到鬼神的保佑赐福。等到人民一心一德、鬼神保佑赐福之后，兴师动众才会成功。如今人民各人有各人的打算，鬼神不知道究竟应该保佑哪一些人。鬼神就像失去了主人似的，不知所措，虽然我主单独奉献非常丰盛的祭品，这哪可能得着鬼神的保佑？我主只有暂且整饬政教，而亲近兄弟之国，或能避免灾难。”

随侯心生恐惧，努力整饬国内的政治，楚国因而不敢进攻随国。

父亲和丈夫哪一个亲

桓公十五年（公元前 697 年）

郑国大夫祭仲专权而跋扈。郑厉公对于祭仲的专权跋扈非常担忧，于是厉公想找祭仲的女婿雍纠把祭仲杀了。雍纠预备在一次城郊邀请祭仲的宴会之中，杀掉祭仲。这事情让祭仲的女儿雍姬知道了。雍姬回家问她的母亲说："父亲和丈夫哪一个亲？"她母亲说："任何男人都可成为丈夫，父亲只有一个，丈夫怎么可以和父亲相提并论呢？"于是雍姬就告诉祭仲说："雍纠不在家里请你吃饭，而准备在城郊请你吃饭，我就觉得奇怪，有点不对劲。"然后她把事情的原委告诉了她父亲。于是祭仲设计把雍纠杀了，并把雍纠的尸体丢到郑国大夫周氏的水池子里。郑厉公可怜雍纠被杀，所以收了雍纠的尸，准备用车装载他的尸体，一起逃亡外国，并说："拿事情跟妇人商量，死得活该！"夏天，郑厉公逃亡到蔡国。六月二十三日，郑昭公从卫国回来登上王位。

齐国的连称、管至父之乱

庄公八年（公元前686年）

齐襄公派遣连称、管至父守葵丘（在今山东省淄博市临淄区东）。他们两人在七月瓜熟时节前往葵丘，在他们出发之前，齐襄公告诉他俩说："到明年瓜熟时节，我会派人去接替你们。"一年戍期已满，齐襄公的命令不来，他们两人就请求襄公派人接替，襄公却不答应，所以他们两人计划作乱。齐僖公的弟弟叫夷仲年，夷仲年的儿子叫公孙无知。齐僖公很宠爱他的侄儿公孙无知，所以公孙无知穿的衣服和所享受的待遇像嫡子一样。当齐襄公继位之后，把公孙无知的待遇削减了。因此，公孙无知对他的堂兄弟齐襄公不满。连称、管至父因此勾结公孙无知作乱，要拥立公孙无知替代齐襄公。连称有位堂妹是齐襄公的后宫，但是得不到襄公的宠爱。公孙无知指使她去窥伺齐襄公的行动，并对她说："要是事情成功，我会以你为夫人。"

冬天十二月，齐襄公到姑棼（在今山东省博兴县东北。棼，

fén）去游玩，后来到贝丘（今山东省博兴县南）打猎。齐襄公见一只大野猪，但陪同人员叫道：“看哪！公子彭生。”——齐襄公原是淫乱无耻的人。鲁桓公的夫人文姜是齐襄公的妹妹，但襄公却与她私通。鲁桓公十八年（公元前694年），文姜和鲁桓公一同到齐国去。鲁桓公发现文姜和齐襄公的不正常关系，于是责备文姜；文姜告诉了齐襄公，襄公便差使公子彭生把鲁桓公害死了。后来鲁国向齐襄公提出质问，襄公便杀死公子彭生来推卸责任。公子彭生的死是冤枉的，所以就变成了大野猪来向齐襄公索命——襄公听到侍从叫道“公子彭生”，一边发怒叫道：“彭生哪敢出现！”一边瞄准了箭射向大野猪，大野猪像人一样地两脚站起来啼叫，这一下子，齐襄公吓坏了，从车上摔下去，脚摔伤了，鞋子也弄丢了。

出游回宫之后，襄公向徒人费（徒人是为国君使唤的小臣）盘问鞋子的下落，鞋子找不回来，把徒人费鞭打到出血。徒人费离开襄公，在宫门外遇到作乱的人，作乱的人就把徒人费给捆了起来。徒人费说：“我为什么要抵御你们呢？”徒人费脱下衣服，把背上的伤痕给那些人看。作乱的人相信徒人费的话。徒人费请求那些作乱的人让他先进去，他进去之后把襄公藏起来，然后和作乱的人格斗，战死在门中。另一位襄公小臣石之纷如战死在台阶之下。作乱的人打进宫廷，把躺在床上假冒襄公的小臣孟阳杀死，说道：“不像是国君，不像是国君。”后来看到齐襄公的脚露在门下，就把他杀了，而拥立公孙无知。

原先，齐襄公继位的时候，政令无常。齐国大夫鲍叔牙说：“国君放肆倨傲地颐指气使人民，要起乱子了！”于是拥戴公子小白出奔到莒国（在今山东省莒县）。

当乱事发生之后，管仲、召忽拥戴公子纠跑到鲁国。

原先，公孙无知曾虐待齐国大夫雍廪，鲁庄公九年（公元前685年）春天，雍廪杀公孙无知。

长勺之战

庄公十年（公元前684年）

鲁庄公十年春天，齐国军队攻打鲁国。鲁庄公准备应战，曹刿（guì）请求庄公接见。与他同住的乡里人说："那些高官厚禄、吃大鱼大肉的人会商量和齐国作战的事情，关你什么事！你也想挤进去插一脚？"曹刿说："那些吃大鱼大肉的人的脑筋闭塞，没办法深谋远虑。"于是他去拜见庄公。

曹刿劈头第一句就问："我主凭什么去跟齐国作战？"庄公说："我所喜欢的衣服、食物，不敢一个人独享，一定分给旁人同享。这么做，人民应该会支持我的。"曹刿答道："我主这种小恩小惠，只有少数人沾光，并不普及广大的民众，人民不会听从您的。"庄公说："祭祀时候，牺牲、玉帛、百谷、花果等祭品，不敢随便添加，一定本着诚信、肃穆去祭祀。这么做，鬼神应该会赐福保佑的。"曹刿回答说："这只是一种小小诚信，未必能让所有的鬼神都相信，鬼神也不会赐福保佑的。"庄公说："法院中大大小小的审判，虽然不能做到每一件判案都明察秋毫，但是一定做到合情合理的判决。”曹刿肃然起敬地对庄公说：“这是为人民尽心尽力谋事，称得起忠于人民。凭这个可以和齐国做一殊死战。如果对齐作战，就请我主允许我随您参战。”庄公与曹刿同乘一辆兵车前往，在长勺（在今山东省曲阜市北境）与齐兵作战。

庄公准备敲击战鼓，发布攻击的号令，曹刿说：“时候还不到，不可以下号令出击。”齐军敲过三次战鼓，曹刿说：“可以敲打战鼓，发出攻击的号令。”齐国军队战败崩溃，庄公准备追逐齐军，曹刿说：“慢一点。”他下车检查齐军兵车的痕迹，爬上车轼向前远望，然后说：“可以了。”于是，庄公下令追逐齐国的军队。

打胜仗之后，庄公问曹刿他那么做的道理。曹刿回答说：“关于作战这件事，最需要勇气。第一次敲击战鼓时，提起了军队勇气，第二次敲击战鼓时，军队的勇气就有点由盛而衰了；第三次敲击战鼓时，军队的勇气跑光了。齐军的勇气跑光了，而我们军队却充满了勇气；所以我们能打垮齐军。然而，大国是很难预料的，怕他们假装溃败而设下埋伏。我下车看见他们车轮痕迹很乱，登高望见他们的军旗也七倒八竖的，我判断齐军不是假装溃败，引诱我们走入他们的埋伏，所以才开始下令追逐他们。”

卫懿公好鹤亡国

闵公二年（公元前660年）

冬十二月，狄人（狄人在今太行山山麓一带活动）攻打卫国。卫懿公平日养鹤，也喜欢鹤。懿公让他养的鹤乘坐有大夫资格才能乘坐的轩车。由于狄人入侵，卫懿公召集国人准备发兵作战，那些接受兵器和铠甲的国人说："让您养的鹤去和狄人作战吧！您的鹤都有爵位俸禄，我们还没资格乘坐您的鹤所乘坐的轩车呢！我们这些没有功名的人怎么会作战呢！"卫懿公无可奈何，只好给卫大夫石祁子玉玦（古代的一种玉器），给宁速箭，要他们防守狄人，说："你们两人要善于利用玦和箭来保卫国家安全，玦是表示要能决断，箭是表示捍卫国家。你们要选择有利的事情去做。"他又把五彩绣衣给了他的夫人，说："您从现在起，要听石祁子和宁速的话去做。"渠孔为懿公驾兵车，子伯为车右，黄夷做开路前锋，孔婴齐殿后压阵。卫军和狄人在荧泽（在今河南淇县东）大战，卫国军队溃败，于是狄人灭亡了卫国。

（按：狄人退兵之后，卫又复国）

齐桓公伐楚

僖公四年（公元前656年）

鲁僖公四年春天，齐桓公率领诸侯的军队侵入蔡国。蔡国的军队溃败后，又去讨伐楚国。楚成王派使者跟诸侯的军队交涉说："你们齐国居住在北海之滨，我们楚国居住在南海之滨，我们和你们相距那么远，真是风马牛不相及，一点关系也扯不上。没想到你们居然侵入我们的土地，这算是哪一门子道理？"齐国的管仲对答道："周成王时，太保召公奭（shì）告诉我们的先君姜太公说：'各国诸侯有什么不对的行为，你都有权去讨伐他们，好来辅助周朝王室。'颁赐给我们讨伐的范围：东到海边，西到黄河流经之地，南到穆陵，北到无棣。你们该上贡成捆的菁茅，不按期交货，周天子的祭祀用品供给不上，没有菁茅就没有用来缩酒的东西。我要责问这件事，并且，周昭王南征而没有回去，我也要责问这件事。"楚国的使者回答道："菁茅没按时上贡，是我们国君的罪过，我们哪敢不上贡呢？至于周昭王南征没有回去，那么，请您到汉水水滨去问一问吧！”

于是，诸侯的军队向前推进，在陉（xíng，今河南省漯河市郾城区南）驻扎下来。

那年夏天，楚成王派遣楚国大夫屈完前往诸国的军队。各国的军队向后撤了一些，在召陵（在今河南省漯河市郾城区东）驻扎下来。

齐桓公把各国的军队布置起来，和屈完乘车检阅这些军队。齐桓公假装谦虚地说：“这些军队哪里是为了我这个人，这些军队只是为了承续我先君的友好关系罢了。你们楚国和我们齐国共同友好，怎么样？”屈完回答说：“承蒙您向我国社稷之神求福，不毁灭我国；如果，您不嫌弃收容我国的话，我们的国君很愿意和贵国友好。”齐桓公得意地说道：“用这些将士作战，谁能够抵挡！用这些将士攻城，哪一个城打不垮。”屈完不卑不亢地说：“您要是用德来安抚各国，哪一个国家敢不服从？你要是用武力来威吓各国，我们楚国就不吃这一套，我们楚国就拿方城山（在今河南叶县南）作为城墙，拿汉水作为我们的护城河，你们各国联军的将士虽多，只怕也没有用的！”

于是屈完和各国诸侯结盟。

宫之奇谏借路给晋国

僖公五年（公元前655年）

晋献公又要向虞国（在今山西省晋南）借路，让晋国的军队通过，以便征伐虢国（在今河南省荥阳）。宫之奇谏止虞君说道："虢国是虞国的屏障。虢国若是灭亡了，虞国也就会跟着灭亡。不能让晋国尝到甜头，晋国一尝到甜头之后，它的野心就更大了。对于外在的敌人不可以放松警惕。借一次路已经过分了，哪能还有第二次的道理？'面颊和牙床是互相依靠的；没有嘴唇，牙齿就要受冻的。'这句俗话，正好形容虞国和虢国的关系。"

虞君说："晋国跟我们同一宗族，岂会陷害我们？"宫之奇回答说："太伯、虞仲都是太王的儿子。太伯不听父命而让位，前往吴地，因此没有继承王位。虢仲、虢叔是王季的儿子，和文王是兄弟，又做文王的卿士，掌管国政，对于王室有功勋，因功受封的典策藏在盟府（盟府，主管盟誓典策的政府机关）之中。如果说到同宗的关系，那么虢氏在姬姓中的地位比虞氏要高，虢与晋之间的关系比虞更亲。晋国准备消灭虢国，哪还会爱虞国呢？再说晋国对我们虞国的爱，会超过他们的同祖兄弟吗？他们的同祖兄弟——桓庄之族——究竟有什么罪？在十五年前把他们全杀了。还不是因为桓、庄之族对他们有点威胁？至亲就因为对他们有点威胁，尚且都要陷害，何况是一个国家呢？”

虞君答道：“我祭祀的时候，祭品丰富不说，而且斋戒彻底，鬼神一定会听我的。”宫之奇回答说：“臣听说：‘鬼神不因人而亲，却只接近有德的人。所以《周书》上说：‘青天大老爷没有私心，只帮助有德行的人。’又说：‘祭祀的黍稷并不馨香，美好的德行才会馨香。’又说：‘祭祀的东西相同，但只选择有德者的祭品。’这样说来，因为没有德行，人民就不能和谐，鬼神也不去享用祭品。鬼神所依凭的，在于德行。若是晋国取得了虞国，而能洁身修行，然后献上馨香的祭品，难道鬼神会不接受吗？”

虞君不听宫之奇一片忠诚之言，答应了晋国使者的请求，让晋国军队借道。宫之奇率领全族离开了虞国，说：“虞国不能举行年终的腊祭了。这一次，晋国就能称心如愿了，不必再举兵了。”冬，十二月初一，晋国消灭了虢国，虢国国君逃亡到王城（今河南省洛阳西北）。晋国军队班师回朝时，借住在虞国。于是发兵偷袭，灭亡了虞国。

秦、晋韩原之战

僖公十五年（公元前645年）

晋惠公由秦国护送回晋国即位的时候，秦穆夫人嘱托他照顾晋献公的妃子贾君。并且还嘱咐他说："要把所有逃亡在外的晋国公子都接回晋国。"结果，晋惠公却淫乱了贾君，也不把逃亡在外的晋国的公子接回来；因为这样，秦穆夫人就怨恨晋惠公。同时，晋惠公曾答应给晋国执政的中大夫里克、丕郑等人的贿赂，后来违背了诺言不说，还把里克、丕郑等人杀了；也曾答应要把黄河环曲之南的五个城送给秦穆公，东可到达古虢国（在今河南省荥阳境内）边界的尽头，南可到达华山（在今陕西省华阴），北可到达解（hài）梁城（在今山西省临晋），后来也不给了。当鲁僖公十三年，晋国发生饥荒的时候，秦国输送了粮食到晋国去救灾。但第二年，秦国发生饥荒，晋国却不让秦国来买粮食。由于这些缘故，秦穆公出师讨伐晋国。

在秦国出师之前，秦国的卜官卜徒父占卜了一卦，是个吉祥卦。占辞有一句说“过河，公侯的兵车会失败”，秦穆公弄不懂这句话，而问这句话是什么意思。卜徒父回答说：“是个大吉大利的事。连把晋国军队打败三次，就可以掳获晋国国君。这一卦是占到了‘山☶、风☴、蛊’的‘蛊卦䷑’，卦辞上说：‘千辆兵车的大国三次向前进军，向前进军三次之后，就能擒获那只大雄狐。’狐、蛊，一定是他们的国君。‘蛊’的内卦是风☴，外卦是山☶。我们秦国的象征是风，对方晋国的象征是山。现在是秋天了，秋天的风把山上树木的果实都吹落了。而山上的木材也可以取用了，所以，我们能够胜利。果实失落了，木材没有了，不打胜仗，还等什么呢？”

果然，秦国军队连续三次打败了晋国的军队，到达了晋国的韩原（今山西省河津与万泉之间）。晋惠公对庆郑说：“敌人已经深入我国疆土，我们应该怎么办呢？”庆郑回答说：“全是您把敌人引进来的，我们又能怎么办呢？”晋惠公听了很生气说道：“出言不逊！出言不逊！可恶！可恶！”晋国占卜用谁来担任车右，结果，若任用庆郑是吉利的，但是晋惠公不肯用他，而任命大夫步扬驾驶兵车，家仆徒为车右，乘坐郑国送来的马所驾的车。庆郑立即说：“在古时候，战争这样大事，一定乘坐自己国家所出产的马匹所驾的车，自己出产的马匹生长在自己的水土上，而了解主人的心意，安于主人的训练，熟悉自己道路。不论怎样驾驭，无不如意。现在乘坐外国所出产的马匹来参与战争，这些马匹因恐惧而改变常态，那就会不听驾驭。马一恐惧，它就呼吸不规律，血液循环急促，外表看似强壮，实际却已虚怯无力了，既不能前进，也不能后退，要掉头也办不到。您一定会后悔乘坐外国马所驾的车的。”晋惠公不听庆郑的意见。

十一月，晋惠公迎战秦国军队，派遣晋国大夫韩简刺探秦国的军情。韩简回话说：“秦国军队的人数比我们少，但他们能战的斗士比我们多一倍。”晋惠公问道：“是什么道理？”韩简回答说：“当您出亡在外的时候，依靠秦国的资助；而所以能够回国做国君，也是受到秦国厚爱的结果；当我们发生饥荒的时候，秦国输送粮食来救灾；人家秦国三次有恩于我们，我们却一直没有报答，所以他们来找我们算账。我们又派兵和他们对垒。我们这边很懈怠，秦国那边个个摩拳擦掌，同仇敌忾。我看一倍都不止了。”晋惠公说：“一个人都不能让人轻辱，何况是一个国家呢？”于是，他派遣韩简出去向秦国挑战。韩简代表晋惠公对秦国说：“我没有才能。只能集合军队，却不能解散他们，所以说一定得和你们秦国打一仗；如果，你们不撤退，我们只好跟你们一决胜负。”秦穆公派遣公孙枝做代表去答话，说：“您（晋惠公）还没回国时，我（秦穆公）很替您担心。当您（晋惠公）还没稳定国君的宝座，我（秦穆公）很为您（晋惠公）忧虑。您（晋惠公）既然已经稳定了国君的宝座，我（秦穆公）怎么敢不接受您（晋惠公）命我们作战的命令呢？”韩简退下来说道：“我若还能活着被俘虏，就算是幸运的。”

十一月十四日，秦国和晋国在韩地（在今山西省河津与万泉之间）的原野上交战。晋惠公的战马陷于泥泞之中打转，而无法爬出来。晋惠公呼喊庆郑来救，庆郑说："您刚愎自用，不听谏言，又违背占卜的预示，实在是自找失败，又能逃到哪里去呢？"于是，走开了。晋国大夫梁由靡为韩简驾车，另一大夫虢射为车右，在战场上一车人遇到了秦穆公，快要俘虏秦穆公。庆郑由于自己没去救晋惠公，所以招呼韩简他们去救晋惠公。这一来反把擒获秦穆公的机会耽误，让秦穆公跑掉了。结果，秦国俘虏了晋惠公，并带回去了。

晋国的大夫们把头发披散向下垂着，露宿在野地，跟踪着秦国军队。秦穆公好言安抚他们说："你们怎么这么忧伤呢！我跟随你们晋国国君向西方走（这是一种外交辞令，实际上秦穆公把晋惠公掳回西方的秦国），也只是为应验你们晋国在过去的妖梦——妖梦是指在鲁僖公十年（公元前650年）晋国大夫狐突遇到了太子申生的鬼魂，申生的鬼魂斥责晋惠公不行君道，并预言必败于韩——我怎么敢对晋国君主太过分呢？"晋国的大夫们拜了三次，叩头了三次，说："您的头上有天老爷，脚下有土地神；天老爷和土地神都听到了您的这番话；我们群臣也冒昧地站在下风，这番话也听得格外清楚。"

秦穆夫人听说晋国君主快被带进都城了，就领着太子罃(yíng)、弘和女儿简壁一同登上高台上面的木柴堆之上，表示要自焚而死；并派人穿着丧服去迎接秦穆公，让他告诉秦穆公说："上天降下灾祸，让秦、晋两国君主，不用正常的外交途径交涉，而掀起了战争。假若晋国君主早晨进城，那么，婢子我晚上就自杀。晚上进城，那么，早晨自杀。希望您考虑考虑！”于是，秦穆公把晋惠公安置在灵台（在今陕西省西安市鄠邑区）。

秦国的大夫们请求把晋惠公带进城，秦穆公说：“我原以为掳获晋国君主，带回都城好好庆祝一番；如今要把晋国君主带回都城，结果却会使国家出了丧事，那干吗要带晋国君主进入都城？你们大夫又有什么好处呢？况且晋国人用忧戚来加重我的心理负担，用老天爷、土地神来约束我。如果我不考虑晋国人所担忧的事情，会加重他们对我的仇恨；如果我说话不算话，就对天地背信。加重晋国人对我的仇恨；我承当不起。对天地背信是不吉祥的事情。所以，一定要把晋国君主送回他的国家。”秦穆公的儿子公子絷（zhí）说：“不如把他杀了，使他无法再聚众作恶。”秦国大夫公孙枝说：“把晋国君主送回去，把他的太子送来秦国做人质，一定能有好的结果。我们既不能消灭晋国，而把他们的君主给杀了，只会造成相互间的仇恨，史佚有句名言：‘不要启祸端，不要乘人之危，不要加重仇恨。’加重仇恨，难以承当；欺凌别人是不吉祥的。”于是秦国允许和晋国讲和。

晋惠公派遣大夫郤乞回国告诉大夫吕饴甥，秦国允许与晋国讲和这件事情，并且召吕饴甥来秦国谈判。吕饴甥教导郤乞说：“你要召国人来朝廷集会，借用君主的命令赏赐他们，并代表君主告诉他们说：‘我虽然回国，但给我们国家带来太大的侮辱。该用卜筮来决定如何辅佐太子圉即位。’”郤乞依照吕饴甥的话做了，众人感动得落泪。晋国于是创立爰田制度。吕饴甥对众人说：“我们的国君作战被俘，在国内的我们都不能去解救他；反倒是他担忧我们众人。这种恩情，你们说有多大？我们该如何报答我们的君主？”众人说：“怎样才能报答我们君主对我们的恩情呢？”吕饴甥回答说：“征收赋税，整顿军备，辅佐太子。诸侯听说，我们的国君虽然作战被俘，但国内又有新君主政，并且所有的臣子都和睦，军备也加强了。我们的友邦会鼓励我们；对我们不友好的国家会惧怕我们。这样差不多才会有点用处。”众人听了都很高兴。于是，晋国又建立州兵制度。

当初，晋献公用筮草占卜，把大女儿嫁到秦国，占了一个由“归妹”变成“睽”的卦。卜官史苏占卜说：“这是一个不吉祥的卦。它的爻辞说：‘士人刲羊，也没有血；女子拿着筐，也没有收获。’对于西邻的指责，由于我们理亏，无法回答。‘归妹’是少女出嫁的意思，‘睽’是乖离的意思。由‘归妹’变成‘睽’，少女出嫁而有乖离的征候，自然对母家没有帮助。‘雷☳、泽☱、归妹䷵’；‘火☲、泽☱、睽䷥’，由‘归妹’变成‘睽’，就是‘雷☳’变成了‘火☲’，也是‘火☲’变成了‘雷☳’，不论‘雷☳’和‘火☲’都是外卦，是晋国的象征。火气太盛是女子嫁后，反害她母亲的预兆，也就成嬴姓打败姬姓的预兆。车脱落车轴，火焚烧旗帜，都是吃败仗的象征，不利于出兵打仗，会在宗丘（即韩原）吃败仗。少女出嫁与母家极端乖离，敌人张弓要射向自己。侄儿跟随姑姑，六年之后才能逃走；逃回自己祖国，而抛弃自己的家。第二年，他会死在高梁（在今山西省临汾）境内。”等到晋惠公被俘在秦国，他说：“若是先听从史苏的占卜，我也不会落到今天这种地步吧！”韩简在旁侍候说道：“龟甲是一种形象，筮草是一种数理。事物产生之后才有形象，有了形象之后才有演变，演变之后才有数理。先君所做的坏事太多，哪里是‘数’所能反映出来的；史苏所占的这个卦，不从又有什么关系，《诗经》上说：‘人民的灾害，不是从天上降下来；聚在一起乱讲话，背地里互相憎恨，主要的策动者还是人。’由此看来，事在人为，和占卜的吉凶没什么关系的。”

十一月，晋国吕饴甥拜会秦穆公，和秦国在王城（在今陕西省朝邑西南）订立盟约。秦穆公问道：“晋国能内部和睦共处吗？”吕饴甥回答说：“不能和睦共处。一般老百姓对于君主被俘感到羞耻，又伤悼他们在战争中死亡的亲人，不怕征收税赋、整军修武，而拥立太子圉为君主，并且说：‘这种仇恨一定要报复，哪怕向戎狄低头，去侍奉戎狄，也要报这个仇。’贵族们爱护他们的君主，知道他的过失，不怕征收税赋、整顿军备，以等待秦国的作战命令；并且说：‘一定要报答秦国的恩惠，就是死也不存其他想法。’因为这样而不能和睦共处。”秦穆公说：“你们对于你们君主的命运有什么看法呢？”吕饴甥回答道：“一般百姓相当忧心，认为他必免不了一死的命运；贵族们相当宽心，认为他一定能归国。一般老百姓说：‘我们对秦国恩将仇报，秦国哪肯送回我们的君主。’贵族们则说：‘我们知道过错了，秦国一定会送回我们的君主。’我们晋国当时起了二心，你们秦国立刻抓起来；等到这个二心的晋国臣服了，秦国就立刻松手放了，如果能这个样子，秦国仁德的深厚真是无与伦比，秦国刑罚的威力也莫可匹敌；这样的战争，秦国可以称霸天下。要是送晋国君主回国而不安定他的君位，废掉旧君主而不立新君主，这样会把原来的仁德之事变成怨怼之事。秦国不会这么做吧！”秦穆公说：“我原来也是这么想的。”于是把晋惠公搬到另外的馆舍去住，同时赠送给他七只羊、七头牛、七头猪。

晋国大夫蛾（yǐ）析对庆郑说：“怎么不离开出走呢？”庆郑说：“我陷害我们国君主失败，国君既败而我却不能以身殉国。如果，我又出走，刑罚是加不到我身上，但却又使国君的刑罚无所用，这不是一个人臣所应有的行为。一个做人臣的不行臣道，那么，有什么地方会收容我，我可以走到什么地方呢？”十一月，晋惠公归国；二十九日，杀了庆郑，然后入都城。

这一年，晋国又闹饥荒。秦穆公又馈送晋国粮食。并说道：“我讨厌他们的君主，却怜悯他们的人民。并且，我听说唐叔封在晋国的时候，箕子就说过：‘他的后人一定有很大的发展。’哪里可以对晋国动脑筋、打算盘的。目前还是对晋国树立一些恩德，等待将来他们出现一些能干的人吧！”

于是，秦国在黄河之东晋国的故地上征收赋税，设置官府治理。

宋、楚泓之战

僖公二十年（公元前640年）

宋襄公一心想召集诸侯参加会盟，做诸侯的盟主。鲁国大夫臧孙辰听到这件事情说："一个人的欲望要听从一个人的意志的支配，这才可以的；一个人的意志全无，完全服从一个人的欲望，这是不可的。一个人意志完全服从一个人的欲望，很少能够办成什么事的。"

僖公二十一年（公元前639年）

鲁僖公二十一年，春天，宋国在鹿上（在今安徽省太和县西）召开盟会，由于参加盟会的宋、齐、楚三国都由大夫出席，宋国要求各国诸侯举行一次盟会，楚国假装答应了。公子目夷说："小国争当盟主，是祸，不是福。只怕宋国要亡国了，拖不了多久了！"

秋天，宋襄公和楚成王、陈穆公、蔡庄侯、郑文公、曹共公、许国国君在盂（在今河南省睢县西北）会盟。公子目夷说："难道灾祸就会发生在这里吗？我们君主的欲望太大，人家怎么能够忍受得了呢？"于是，楚国在会场扣住宋襄公，而攻打宋国。

冬天，楚国与宋国在薄（在今河南省商丘西北）会盟，在盟会中释放了宋襄公。公子目夷说："灾祸还没有完结，这点处罚还不能惩治我们君主。"

僖公二十二年（公元前638年）

僖公二十二年夏天，宋襄公率军征伐郑国。公子目夷说："我所说的灾祸就会发生在这里。"秋天，楚国为了解救郑国之难，出兵攻打宋国。宋襄公准备与楚国作战。大司马固谏襄公说："上天抛弃我们商人（宋人是商朝的后裔，所以自称为商人）已经很久了。我主要复兴商人的盛世，这种罪是不可赦免的，我们出兵上天是不会帮忙的。"宋襄公不理会大司马固的劝诫。

冬天十一月初一，宋襄公率军和楚军在泓水（在今河南省柘城县北）对阵。宋国军队已经部署了阵式，楚军渡泓水正渡一半。公子目夷说："他们兵多，我们兵少，在他们还没完全过河，让我们下令攻击。"宋襄公说："不可以。"等楚军全部过河，还没摆好阵式，公子目夷又请宋襄公下出击命令。宋襄公说："还不可以。"

等到楚军摆好阵式，宋襄公才下令出击，结果，宋国军队溃不成军。楚军一直追杀到宋国的都城。宋襄公本人的大腿骨受了伤，所有守城的官全被杀了。

宋国国人全都怪罪宋襄公。宋襄公说："一个君子在战场上不杀伤已经受伤的敌人，不去掳获头上已长白发的年老的人。古时候作战不依靠关塞险阻去求胜。寡人虽然是亡国人的后裔（宋人是商人的后裔，所以自称为亡国的后裔），但要堂堂正正得胜，还是不进攻没有布好阵式的敌人。"公子目夷说："我主不知道该怎么打仗。强劲敌人在狭隘的地方摆不出战阵，正是上天帮我们的忙。强大敌人的前进受到阻碍，我们下令攻击，有什么不可以的？即使这样，我们还怕打不胜的。况且，今天的敌人个个强壮勇武。虽然是遇到一个老头子，能够俘虏的就俘虏，哪里还用得着顾虑那些长点白发的中年人？我们训练人民作战，要人民明白廉耻，作战不可投降，只求勇敢杀敌；我不杀敌，敌必杀我，敌人受伤还没有死，怎么可以不再去杀伤已经受伤的敌人呢？假如爱护受伤的敌人，不如根本不去杀伤敌人，假如爱护有点白发的敌人，不如投降称臣算了。三军作战，于我们有利，就得行动；锣声、鼓声是为提高我们军队士气的。于我们有利就得行动，不管敌人是不是遇到险阻。鼓声愈响愈能提高斗志，就是敌人阵式还没摆好，也可以鼓声大作下令攻击。"

僖公二十三年（公元前637年）

鲁僖公二十三年春天，齐孝公攻打宋国，包围了缗（mín，在今山东省金乡县东北），齐国因为宋国没有参加四年前在齐国的盟会而来攻宋国的。夏天，五月二十五日，宋襄公病逝，他在泓水之战所受的伤，是他致死的原因。

晋国公子重耳的逃亡经历

僖公二十三年（公元前637年）

晋国公子重耳遭遇骊姬谗害晋国太子申生那场祸乱的时候，他逃亡蒲城（在今山西省隰县），晋献公出兵伐蒲城。蒲城人愿意和晋献公的军队作战，公子重耳不许可，并说："靠着君父的命令，享受优越的俸禄，然后才得到自己手下人的拥戴；得人拥戴就跟自己君父对抗，没有比这样做有更大的罪恶。我还是逃走算了。"于是逃到狄人（中国古代北方的种族名）那里去避难。有狐偃、赵襄、颠颉、魏犨（chōu）、司空季子等人跟从在一起。正碰上狄人攻伐廧咎（qiáng gāo）如（春秋时散处在河北省和山西省境内，廧咎如是赤狄所建立的一个小国），掳获了他们名叫叔隗（wěi）、季隗二位女子。把季隗嫁给公子重耳。后来，她生伯儵（chóu）、叔刘。把叔隗嫁给赵衰，后来她生了赵盾。公子重耳这一帮人要到齐国去，于是重耳对季隗说："等我二十五年，如果我还不回来，你就另嫁别人吧！"季隗回答说："我现在已经二十五岁了，又等二十五年这么长的时间再嫁，我怕我已经到棺材里去了。让我等你就是了。”重耳这一帮人前后在狄人的地方住了十二年。

他们路过卫国的时候，卫文公不礼遇他们。走到五鹿（在今河南省濮阳境内），他们向乡下人讨饭吃，乡下人给他们一块泥土。公子重耳非常生气，要拿鞭子抽打乡下人，狐偃劝止他说：“这是老天爷赐给我们的宝贝，土块是土地的象征，得着土块是能建国的预兆。”于是，公子重耳叩头接受那土块，而把土块一起载走。

他们到达齐国，齐桓公把女儿嫁给他，又送二十乘车所需的八十匹马。公子重耳安于这种舒适的生活，狐偃等人认为不可以这样消磨志气，准备离开齐国；在桑树下计划，碰巧有一个采桑养蚕的女奴在树上听到了他们的计划，她把所听到的告诉重耳夫人姜氏。姜氏把女奴杀了，因为怕她泄露秘密，而对重耳说：“你有行走天下四方的志愿，那个偷听到你们计划的人，我已经杀掉她了。”重耳说：“我可没什么行走天下四方的大志向。”姜氏说：“你得离开齐国。眷恋享受，安于现状，实在容易败坏一个人的名节。”重耳不答应。于是，姜氏和狐偃共同计划把重耳用酒灌醉，抬到车上，带他离开齐国。等重耳酒醒，发现自己在离开齐国的路途上，一时气极败坏，拿起一把戈就要杀狐偃。

他们到达曹国，曹共公听说重耳腋下的肋骨连在一起，想在他光身子时，看个究竟，他的肋骨是不是连在一起。当重耳洗澡时，曹共公稍稍走近他，偷看他的肋骨。曹国大夫僖负羁的妻子说：“根据我的观察，晋公子的那些随从，个个都足以为一国的辅佐大臣；如果晋公子用那些人辅佐的话，他一定能够回去；他回国主政之后，一定能够在诸国之间吃得开，而成为霸主；在诸侯之间吃得开，成为诸侯霸主而对他无礼，曹国得数第一。你为什么不早一点和晋国拉拢拉拢，攀点交情。”于是晚上送了一盘晚餐，盘里头藏了一块玉。重耳接受了那盘晚饭，还回了那块玉。

他们到达宋国，宋襄公送给他八十匹马。

他们到达郑国，郑文公也不以礼来招待，郑国大夫叔詹谏郑文公说：“臣听说，上天所赞助的事情是人力办不到的。晋国公子有三样事是上天赞助的，上天或许要树立他为晋国的国君吧！你应该礼遇他。男女同姓结婚，他们的子女不旺盛。晋公子的父母都为姬姓，他是同姓所生，而他一直生气勃勃活到现在，这是第一件；他遭遇出亡在外的灾患，而上天却一直不让晋国安宁，大概是在为他开创有利的条件，这是第二件；有三个贤士的才能足以超过其他贤士的，却追随他到处流浪，这是第三件。晋国和郑国属同等地位的国家，他们路过郑国，本来郑国应当礼待他们；更何况公子重耳是上天所赞助的人呢？”郑文公不理会叔詹的谏言。

他们到达楚国之后，楚成王以酒宴款待。楚成王说：“公子如回到晋国，那么要怎么报答不穀（不穀是中国古代王侯自谦之词，字面上是不善的意思，也就是乏善可陈、没什么优点的意思）呢？”重耳回答道：“美女、钱财，您已经有了；至于鸟羽、兽毛、象牙、犀皮，也是你们楚国的土地所生产的。至于能够波及晋国的，也全是你们楚国剩下的东西；那些剩余的东西怎么能够报答您了？”楚成王不放松地说：“话虽如此，你到底如何报答我呢？”重耳正襟危坐地回答说：“若托您的福，我能够回到晋国，晋、楚两国整军经武，两国军队在中原相遇，我为了报答您的恩德，我们晋国军队就会退避三舍。在我们退避三舍之后，如果你们楚国仍没退兵的命令，那么，我们就会左手提着弓，右手摸着箭袋，准备和你们楚国周旋一下。”楚国执政子玉请求楚成王杀了重耳，楚成王说：“晋公子志向很大而律己很严，善于说辞而礼数周到。那些追随他的人态度严肃而待人宽大，忠心耿耿而才能超人。现在晋国的国君没人拥戴，国内、国外的人都很讨厌他。我听说姬姓诸国之中，唐叔的后人是较后衰落的。这大概是因为晋公子重耳的关系吧！上天要兴旺的，谁能够去废掉呢？违背天意必定有大的灾祸。”于是，把他们送到秦国去。

秦穆公送给重耳五个女子做妾媵，其中一个是穆公的女儿，曾经嫁给晋怀公的怀嬴。一天，怀嬴捧着匜（yí，一种盛水器）倒水给重耳洗手，重耳却用湿手挥怀嬴。怀嬴很生气地说：“秦国和晋国是对等的国家，你凭什么看轻我！”重耳害怕了，把上衣脱去，自囚以谢罪。有一天，秦穆公设酒宴款待重耳，狐偃说：“我的谈吐不如赵衰有文采，请你让赵衰跟你一起去赴宴。”重耳朗诵了《河水》一诗，取河水朝宗大海的意思，表示对秦国的尊敬；秦穆公朗诵了《六月》一诗，预祝重耳事业成功，并勉励他辅佐周天子；赵衰赶紧说道：“重耳！拜谢秦国赏赐的美言！”于是，重耳拱手一拜，并行稽首大礼；秦穆公起身，走下一级台阶，表示不敢接受稽首大礼。赵衰说：“您把辅佐天子的诗篇来嘱咐重耳，重耳怎敢不拜谢呢？”

僖公二十四年（公元前636年）

鲁僖公二十四年春天正月，秦穆公护驾重耳回国。到达黄河边，狐偃把一块璧交给重耳说：“臣的手牵着肩搭着缰绳，追随着您，视察往来，走遍天下，臣所犯的过失太多了！这些过失，臣都知道，而何况您呢？请您允许我从此离开您吧！”重耳发誓说：“回国之后，我保证和舅舅一条心；如果，你不相信，有白水为证！”说完，把那块璧投入黄河。

他们过了黄河，包围令狐（在今山西临猗），进入桑泉（在今山西省解县西），取下臼衰（在今山西省运城西北）。

二月初四，晋怀公的军队驻扎在庐柳（在山西临猗北）。秦穆公派秦公子絷到晋怀公的军队去；晋怀公的军队撤退，驻扎在郇（xún，山西省运城西北）。十一日，狐偃和秦国、晋国的大夫在郇订立盟约。十二日，重耳进入晋军。十六日，重耳进入曲沃（在今山西省闻喜县）。十七日，重耳入绛（在今山西省临汾），重耳到他祖父晋武公的祖庙，朝见群臣，登基就位成为晋国的新君——

后来被谥为晋文公。十八日，晋文公派人把晋怀公杀害于高梁（在今山西省临汾东北）。

晋怀公的旧臣吕饴甥、郤芮（xì ruì）畏惧晋文公的逼迫，图谋放火烧了晋文公的宫殿，而杀掉晋文公。不久，寺人披求见，晋文公派人推辞不见，并且责备他说："蒲城那一场战争，献公命令你一天以后到达，你当天就到了。后来我（晋文公）跟随狄人国君在渭水河边上打猎，你替惠公来追杀我（晋文公），惠公让你三天到达，你第二天就到了。虽然你有国君的命令，但是你为什么来得那么快？我被你割掉的衣袖还保留着（在蒲城那一战役，晋文公虽然逃走了，但衣袖却被寺人披割掉了），我看你还是赶快走吧！"寺人披答道："臣以为您既回国为君，一定懂得为君的道理！如果仍然不懂得为君的道理，大概还会遭遇灾难。执行国君的命令必须一心一意地去贯彻，这是自古以来的制度。奉行君主命令而去除恶，有多大力量就得尽多大力量。当献公、惠公的时候，我只把您看作和国君对立的蒲人、狄人而已，杀个蒲人或狄人，跟我有什么关系呢？如今您已成为晋国的国君，难道就没有与你对立的人吗？齐桓公能置射钩之事不问，而起用管仲当国执政；您要是没有像齐桓公一样的宽宏大量，而把斩袖之怨惦记在心，那我又何必让您下命令驱逐我呢？如果您的气量狭小，那么惧罪出奔的人很多，岂止我这一个刑余之人而已。"于是，晋文公召见了他，他就把吕饴甥等人的图谋告诉了文公。三月，晋文公微服潜出晋国，在王城和秦穆公相见。二十九日，文公的宫殿失火。吕饴甥、郤芮没有抓着晋文公，就跑到黄河边上；秦穆公把他们诱杀了。

晋文公迎接夫人嬴氏归国。秦穆公派遣三千卫士护送晋文公。这三千人实际上是有办事能力的三千干才。

原先，晋文公的小臣名叫头须的看守库藏，等到晋文公出亡在外，头须就把库藏的财货偷跑，全部花费在接纳晋文公回国的事情上。等晋文公回国，头须求见；晋文公以洗头为借口不见头须。于是，头须对文公仆人说："洗头时，低下头来，结果头低心高，而心的位置反而在上，心既反复，想法也就反不对头了，这样看来，不见我倒是对的。留在国中的人是为他看守社稷，随从出亡的人是为他奔走服役，这两种人大概都是对的。为什么一定认为留在国内就有罪呢？国君要是连普通人民都仇视的话，那么，心怀恐惧的人就太多了。"仆人把这番话告诉了文公，文公立刻出见头须。

狄人把季隗送回晋国，同时请示晋文公怎样处理伯儵、叔刘两个儿子。晋文公的女儿嫁给赵衰，生了原同、屏括、搂婴三人。这时赵姬请求赵衰迎回赵盾和他的母亲叔隗，赵衰一再推辞。赵姬说："得到了新人，就忘掉了旧人，这样子怎么可以用人呢？"再三请求，赵衰才答应了。叔隗和赵盾回到晋国，赵姬认为赵盾有才能，再三向晋文公请求，让赵盾做嫡子，而她自己三个儿子的地位在赵盾之下。同时赵姬又让叔隗做嫡妻，而自己屈居于叔隗之下。

晋文公赏赐和他一起出亡在外的人，介之推不曾提及官禄的事；所以，官禄也没轮到介之推的身上。介之推说道："献公有九个儿子，现在只有我主还在。惠公、怀公无人推戴，国外、国内都遭人遗弃。上天还没有绝灭晋国，晋国一定会有君主。主持晋国祭祀的人，不是我主而会是谁呢？实在是上天安置了晋君之事，而那些人认为是自己的功劳，这也不有自欺欺人的嫌疑吗？偷窃人家的钱财的，还都称他作小偷；何况贪图上天的功劳而作为自己的功劳的人呢？在下位的人居然把贪天之功认为是应该的，而在上的人也居然赏赐这些贪天之功的恶人。上下互相蒙骗，难和他们相处了。"介之推的母亲说："你为什么不去求些赏赐？如果就这样死了，又能怨恨谁呢？"介之推答说："既谴责了那些人，而又去效法他们要求封赏，那就罪加一等！我既发牢骚了，就不再吃官家的俸禄。"他母亲说："这件事让他们知道，怎么样？"介之推回答说："一个人的言辞，是一个人身上的装饰；身子都要隐藏起来，哪还用得着装饰吗？照你所说去做，是求显达，不是求隐居。"他母亲说："你真能办得到吗？我跟你一起去隐居。"于是，他们隐居至死。晋文公寻不着介之推，就用绵上（在今山西省介休市南）作为他的封地，并说："一方面标志我的过失，一方面表扬善人。"

晋、楚城濮之战

僖公二十七年（公元前633年）

楚成王准备攻打宋国，派斗谷于菟在睽（在今湖北省荆州市内）地练兵。斗谷于菟为了使子玉有所表现，故意敷衍了事，一个上午就训练完毕，同时一个也没惩罚。又使子玉在蔿（wěi，在睽附近）地练兵，从早到晚，训练了整整一天，有七个人被鞭打，有三个人被箭贯穿耳朵。楚国那些退休的老臣全来恭贺斗谷于菟，说他特具慧眼，推荐得人，斗谷于菟请他们饮酒。蔿贾当时年纪轻，后到，并不祝贺。斗谷于菟问他为什么不祝贺呢？蔿贾对他说："我不知道要祝贺什么。你把令尹推荐子玉接替，说：'这是为了安定国家。'如果，安定了内部而对外全归失败，那么得到的是什么？这是不是得不偿失？如果子玉对外处理失败，这可是你荐举的；推荐的人为国家带来失败的灾难，哪有什么好祝贺的？子玉这个人刚暴而不讲礼法，不可用来治理人民。他统率超过二万二千五百人，三百辆兵车的军队，大概不能全师胜利回国。

如果他能率领军队全师安全回国，再来祝贺，也不算晚吧？”

冬天，楚成王与陈、蔡、郑、许等国军队包围宋国。宋国公叔固到晋国报告宋国的危机。晋国大夫先轸说：“报答宋国赠马之恩，解除宋国被围之患，建立在诸侯的威信，稳固晋国的霸业，就在此举了！”狐偃说：“楚国刚刚取得和曹国的联系，又和卫国新近订立婚姻的盟约。如果讨伐曹、卫，楚国一定分兵援救，楚国如分兵援救曹、卫，那么，齐国、宋国就解除了威胁。”

于是晋国在被庐（在今山西省新绛县东南）做大规模军事演习。然后，建立三军（三个大军团），考虑元帅人选，赵衰说：“大夫郤縠（hú）能够胜任三军元帅的职务，臣常常听到他的言论。从他的言论，知道他喜好礼、乐，而尊崇诗、书。诗、书是义理的宝库，礼、乐是道德的尺度。道德和义理是利益的根本与基础。《夏书》上有句这样的话：‘起用一个人才，应该听取他的意见；把一件具体的任务交给他去试办，使他受到明白的考验；如果他有了功绩，就用车马服饰赏赐给他作为酬劳。’我主试用他看看。”于是，晋文公任命郤縠为中军将率领中军，郤溱为中军佐去辅助他；命令狐偃为上军将，率领上军，但狐偃让给狐毛做上军将，自己屈居上军佐的职务，而去辅助狐毛；任命赵衰为卿率领下军，但他让给栾枝、先轸；后命栾枝为下军将，率领下军，而以先轸为下军佐，去辅助栾枝。荀林父为晋文公驾车，魏犫做戎右。

晋文公一回国，就教导晋人熟习兵事。经过两年，晋文公想用他们打战。狐偃说：“我们晋国战乱多年，一般人民还不能明辨是非，不能安居，往往轻易离乡背井。”于是对外稳定了周襄王的王位；对内尽量为人民谋福利。有了这两样政绩，人民渐渐眷恋产业，安土重迁，安于生计，晋文公又想使用他们作战，狐偃说：“人民对我主还不十分信任，不了解一切措施的用意。”于是，晋文公用讨伐原（在今河南省济源市西北）来取信于人民。后来，人民做生意，看轻钱财，不多求利润，明白征信原有的契约。晋文公说：“这样可以使用人民作战了吧！”狐偃答道：“人民还不懂得贵贱尊卑的礼节，没有生出恭敬之心。”于是用大规模的检阅演习来示范贵贱尊卑的礼节，开始设置秩禄的官，管理爵禄秩位，对国家的官吏加以调整和安排。人民听到命令而不感迷惑，然后才起用他们作战。使楚国撤退守谷邑（在今山东东阿）的兵，解除宋国被围的危机，一次战争就赢得霸主——全是晋文公教化人民的结果。

僖公二十八年（公元前 632 年）

鲁僖公二十八年春天，晋文公将讨伐曹国，要向卫国借路让军队通过，卫国不允许；于是，绕路从卫国南部渡黄河，侵略曹国，回头又讨伐卫国。正月十一日，晋军占领卫国五鹿（在今河南省濮阳县南）。

二月，晋国中军将郤縠去世，先轸升任中军将，司空季子接替先轸下军佐的职务。这是用品德来选用人才。

晋文公、齐昭公在敛盂（在今河南省濮阳县东之敛盂聚）订立盟约；卫成公请求加盟，晋国不答应。卫成公转向，想和楚国结盟，但卫国人民不愿意；于是卫国人民赶跑了成公，去讨好晋国。卫成公逃到襄牛（今山东省临濮县东南）。

鲁国原与楚国同盟，鲁僖公派公子买去助楚守卫国，后来楚国派兵救卫，不能成功；就引起鲁僖公对晋国的恐惧，于是把公子买杀了去讨好晋国，而说鲁国派兵守卫国全是公子买的主意；但对楚国却说："公子买不能完成守卫国的任务，所以把他处死。"

晋文公出兵包围曹国，攻打城门的时候，死伤惨重。曹国人把晋军尸体陈列在城墙上。晋文公对这件事感到忧虑，于是听从众人的计谋说："我们要挖掘曹国人的祖坟，并要在那里安营扎寨。"然后，军队就迁离了。曹国人感到恐惧与不安；他们就把所得到晋军的尸体，装进了棺材，运出城外，希望晋军不要挖他们的祖坟。晋军就乘着曹国人恐惧不安而加紧攻城。三月初十，打进曹国都城。于是，责问曹共公的罪状：第一件，他为什么不听僖负羁的话；第二件，曹国是个小国，却有乘坐轩车的高官三百多人。并要所有的大夫把功状全交上来，而且命令不准有人到僖负羁的住所去打扰，还赦免僖负羁同族的人。看看这班曹国大夫究竟有何德何功，而获得高官厚禄，这是为了报答僖负羁的盘餐的施与。由于魏犨只做到兵车的右卫，颠颉更是芝麻绿豆大的小官，所以他俩愤愤不平地说："我主对我们跟从他逃亡的功劳都不图报答，却去报答僖负羁！”他们气愤不过，就放火去烧僖负羁的住宅。结果，魏犨烧伤了自己的胸部。晋文公想杀掉他，但爱惜他的才干，就差人去看这件事，并且看看他伤得怎么样；如果伤得重，等回来报告之后，把他杀了。魏犨束缚了胸部的伤口会见了使者说：“托我主的福，你看我不是很安宁吗？”接着向前跳了三百次，向高跳了三百次，表示受伤不重，身体状况良好。晋文公就饶了魏犨，单杀了颠颉传示军中。任命丹之侨替代魏犨，担任兵车的右卫。

宋国派遣大夫门尹般到晋国告急求救。晋文公说：“宋国派人来告急求救，如果我们袖手旁观，不予理睬，宋国就会跟我们断绝邦交；但我们请求楚国退兵，楚国一定不答应。我想和楚国一战，解救宋国之危，但齐、秦两国也不一定肯帮忙。我该怎么办呢？”先轸说：“设法让宋国不向我们晋国求救，而去贿赂齐国与秦国，借着贿赂而让齐、秦两国要求楚国撤兵。我们抓着曹国国君，然后瓜分曹、卫两国的土地赐给宋国。楚国爱护曹、卫两国，必不许瓜分他们。齐、秦两国喜欢宋国的贿赂，而愤恨楚国的顽抗，能不对楚国开战吗？”晋文公听了很高兴。抓住曹国君主，瓜分曹、卫两国的土地，送给宋国。

楚成王进驻申（在今河南省南阳北），命令申叔带兵撤离谷（在今湖北省谷城西北），命令子玉带兵撤离宋国，并说：“不要追踪晋国军队。晋君在外流亡十九年，而后得到晋国。在这十九年当中，他遍尝各种艰难困苦；他尽知人民的真实虚假。上天也让他享高寿，而一扫晋国的各种祸害。他是上天所树立的，难道可以废除吗？军志上说‘适可而止，不要过分’，又说‘知道难于取胜，便需撤退’，又说‘不可和有德的人敌对’。这三句话，就像是说晋国似的。”子玉差使斗椒向楚成王请求允许他率领楚国军队出战，说：“我不敢说我一定能打胜仗，但是我要杜塞那些说我坏话人的口！”楚成王对子玉跟他唱反调很生气，故意少派军队给他。实际上只有西广（广是楚国军队中一个编制的名称，每广有十五辆兵车）十五辆兵车，原属太子的东宫之军和子玉的同族亲兵六百人，受子玉的统率。

子玉派遣大夫宛春告诉晋国军队说：“请你们让卫国的国君重回卫国，和曹国的国君重新亲政；我们也解除对宋国的包围。”狐偃听了气愤地对晋文公说：“子玉真是目中无人，胆大无礼，我主只得一项好处，他做人臣的却有二项收获！应该向楚国进攻，不可失去这个好机会。”先轸劝狐偃说：“你该答应他，安定别人的国家就是礼。人家楚国一句话安定了三个国家；我们一句话就破坏了三个国家的安定；那么，我们变得无礼，我们无礼，要用什么去对楚国作战？不答应楚国的建议，那就是抛弃宋国；要救宋，反而弃宋，怎么对诸侯各国交代！楚国这么一做，就对三国有恩；我们这么一做，就与三国结怨，怨仇增加，将如何与楚国作战？不如暗地里允许恢复曹、卫两国的国君地位，让他们重新主政，离间他们两国与楚国的同盟关系，扣住楚国使者宛春不放，以激怒楚国。等到决战以后，再去考虑让不让曹、卫两国的国君复位问题。”晋文公对这个主意很满意。于是把宛春扣押在卫国；暗中允许曹、卫两国的国君复位；曹、卫两国就与楚国断绝往来。

子玉果然大怒，楚军就盯着晋军准备开战；晋军却向后撤退。晋军中的一个小吏说：“以一个君主统率的军队去躲避一个臣子统率的军队，这是一种耻辱。况且楚国军队连年在外，已经疲弊不堪，斗志全无。我为什么撤退躲避他们？”狐偃回答说：“正义之师，理直气壮，作起战来精力充沛；师出无名，理亏气短，作起战来毫无斗志。军队能不能作战，并不在于军队在外的时间长短！如果，当初我们国君没受楚国施与的恩惠，是没有今天的；向后撤退三舍躲避楚军，是为报恩。如果我们不退避三舍，就对楚背信食言，那就会增加他们同仇敌忾，而造成我们理亏，造成他们理直的形势。楚国的军队一向补给充足，军需不缺，个个精神饱满，不能说他们疲惫不堪。如果我们撤退，楚国也班师回国，那我们还要求什么？如果我们后撤而他们不回国，那就是我们国君退避，而他们臣子犯上，这就他们理亏了。”于是晋军退避三舍。楚国军队想要停止追踪，但子玉不许。

夏天，四月初三，晋文公、宋成公、齐大夫国归父、崔夭、秦穆公的小儿子慭（yìn）的军队驻扎在城濮（在今山东省鄄城西南）。楚国军队驻扎在一个背负险要的酅（xì，在今山东省鄄城县），晋文公非常忧虑。突然，他听到众人歌唱：“又高又平的原野上唷！庄稼肥美又繁茂。快把旧根刨除掉，准备插上新秧苗。”晋文公听过众人唱这个之后，犹豫不决。狐偃催促晋文公说：“战吧！战吧！如果战胜了！必得诸侯各国的拥戴；即使战不胜，我们晋国万里山河，形势险要，一定也没什么害处！”晋文公问说：“但楚国对我的恩情该怎么交代呢？”栾枝说：“汉水北岸的姬姓国家，一个一个都叫楚国并吞了；您只记得楚国对我们的小恩小惠，而忘却了姬姓的奇耻大辱。不如跟他们一战吧！”有一晚，晋文公做梦和楚成王打架，楚成王压在自己的身上，他并且用口来咬自己的脑袋。晋文公认为这是战败的征兆，感到害怕。狐偃对他说：“这是吉兆。躺在地上，看得见天，表示我们得上天之助。楚君压在您身上，面地背天，是‘伏法’征候。我们要采用以柔克刚的战术。”

子玉派遣斗勃为代表去向晋军挑战，说：“我想请和您的军队比划比划，也请您靠着车轼来观看，我得臣（子玉的名字）也陪您观看。”晋文公派栾枝为代表回了斗勃的话，说道：“寡人听到你们的挑战的命令。楚君对寡人（晋文公自己谦称）的恩惠，寡人一直不敢忘记，所以停留在这里，不敢前进。晋军对于子玉都退避三舍，不敢抵挡，更哪敢阻挡楚君呢！既然得不到你们撤兵的命令，在此麻烦贵国大夫，告诉其他将领；准备你们的兵军，好好为你们国君做事。明天清晨，大家在战场见面。”

晋国兵军七百乘，共计五万二千五百人，战斗人马装备齐全。晋文公登上有莘（在今山东省曹县北）的废墟检阅晋国军队，然后说道：“年轻的在前，年长的在后，遵守军纪，懂得礼让，能够去作战。”于是砍伐许多树木，添增打仗用的兵器。初四，晋军在城濮北边布下阵势，司空季子以下军佐的军队抵挡陈、蔡两国的军队，子玉把同族六百人作为亲兵当作中军，说："今天一定要消灭晋军了！"斗宜申统率左军，斗勃统率右军。司空季子把马身用虎皮盖上，先攻打陈、蔡两国的军队，陈、蔡两国军队败逃；然后又把斗勃统率的右军击溃。在古代行军，中军是主帅，只有中军才能树立两面大旗，狐毛所率领的是上军，他却故意设两面大旗而向后撤退，使子玉的楚军误认晋军败走，以引诱楚军孤军深入。栾枝也命令下军的士卒，拖着木材而假装败逃，斗宜申率领的楚左军就追逐栾枝统率的下军。在这时候，先轸和郤溱率领中军和亲兵从侧面横击，狐毛、狐偃再以上军夹击，于是楚左军溃败。结果，楚国军队大崩溃。子玉收住他的中军停留不战，所以没有战败。晋军休息三日，吃楚军的粮食，到了初八班师回国。

二十九日，晋军行至衡雍（在今河南新乡西北）。周襄王听说晋军获胜，亲往慰劳，晋文公在践土（在今河南省广武县东北）为周襄王建造一所行宫。

在这一战役的三个月以前，郑文公把郑国军队给楚国送去，准备和晋国作战。这次因为楚军战败，郑文公害怕晋国报复，派遣子人九到晋国求和。晋国派遣栾枝入郑，与郑文公结盟。五月十一日，晋文公和郑文公会于衡雍，签订盟约。

十二月，晋文公把陈国、蔡国和楚国俘虏献给周襄王，有带甲的马四百匹、步兵一千人。郑文公给周襄王担任司仪的职务，他采用过去周平王接待晋文侯的仪式来接待晋文公。十四日，周襄王以醴酒款待晋文公，又劝晋文公多喝些酒。周襄王任命卿士尹氏、王子虎、内史叔兴父以策书任命晋文公为诸侯之长；又赐给晋文公祭祀时乘金色大车时的服装、乘兵车时的服装、一个红色的弓，一百支红色的箭，一个黑色的弓，一千支黑色的箭，黑黍酿成的香酒一卣（yǒu，古时盛酒的器皿），虎贲之士三百人，并宣布说："王说叔父（周襄王对晋文公的称呼）是个能恭敬地服从周王命令的人，安定四方天下，为周王纠举不法，清除坏人。"晋文公再三辞让，最后遵从王命，说道："重耳冒昧再拜稽首，接受天子的伟大、光明、美好的命令，并发扬天子的伟大、光明、美好的命令。"晋文公接受策命而后离去。然后，晋文公连续朝见天子三次。

卫成公听说楚军战败，心生恐惧，离开卫国逃往楚国，于是，到达陈国。他同时派遣大夫元咺陪同武叔到践土参加诸侯盟会。五月二十八日，王子虎和鲁、晋、齐、宋、蔡、郑、卫各国诸侯在践土王庭订盟约。盟约上说："大家全都扶助王室，不可互相侵害。如有违反盟约，神灵则予严惩，使其丧师败军，而国命不长。即使传到你们的玄孙，无论老幼，如有违背此盟，也会遭受神灵的严罚。"君子称这个盟约合于信义，晋国这一战役，能依道德打仗。

原先，楚国子玉自己用红玉连缀在马冠之上，用红玉装饰在马鞅上，还一直没用过。战争之前，子玉梦见河神对自己说："把玉装饰的马冠、马鞅给我，我就把孟诸泽（在今河南省商丘）边的土地送给你。”子玉舍不得把自己坐的红玉马冠、红玉马鞅送给河神。斗宜申和子玉的儿子孙伯差使荣黄去谏说，子玉不理。荣黄说：“只要对国家有好处，就是牺牲生命，也在所不惜！何况只是块红玉呢？这红玉实在是粪是土，毫不值钱，可以使军队过河，哪有什么值得去宝贵呢？”子玉不听。荣黄出来告诉孙伯、斗宜申二人说：“不是神灵打败令尹，令尹他不尽心民事，实在是自己打败自己。”等到子玉战败，楚成王的使者对他们说：“大夫（指子玉）若是回来了，他率领申、息二地的子弟全都丧失在战场上，他如何对申、息二地父老交代呢？”斗宜申、孙伯说：“子玉本来要自杀的，我们两人劝止他说：‘我主将会制裁你的。’”等走到连谷（在今河南方城县东），子玉没有得到楚成王的赦免命令，就自杀而死。晋文公听到这件事，喜形于色地说：“从此再也没有和我作对的人了。”

烛之武退秦师

僖公三十年（公元前630年）

晋文公联合秦穆公共同率领军队包围郑国，一个原因是晋文公为公子逃亡在外经过郑国时，郑文公没有以礼款待他；另一个原因是郑国眼见楚国日益强大，就向楚国通好，对晋有了二心。晋国军队在函陵（在今河南省新郑）扎营，秦国军队在氾水（故道在今河南省郑州南）之南扎营。郑国大夫佚之狐向郑文公进言："国家的情势危险极了！假若派遣烛之武去见秦国国君，秦国军队一定会撤退。"郑文公听从了佚之狐的意见，要派遣烛之武到秦国去。烛之武接到命令后，却推辞说："臣在壮年的时候也都不如人，现在老了，办不了什么事了。"郑文公说："我不能早借重先生，如今情势紧急，我才求先生为国出力。这是我的过错。然而，郑国灭亡了，也是不利于先生的。"烛之武于是答应了。

夜晚，郑国用绳子把烛之武缚住，慢慢地从城墙上放下来。烛之武见到秦穆公后说："秦国、晋国军队联合包围我们郑国，我们已经知道将要灭亡了。假如郑国灭亡对于你们秦国有好处，我们就冒昧地拿灭亡郑国这件事麻烦您。秦国若是越过晋国，而拿郑国之地作为边邑，我想您是知道这件事的困难的；这么一说，哪里用得着消灭我们郑国而增加晋国的土地？晋国土地扩大，就等于你们秦国土地缩小。假如您肯高抬贵手，不消灭我们郑国，到时候我们郑国可以做个东方道路上的主人，你们秦国的外交使节东西往返，我们可以提供食宿，这样对你们没有什么害处的，而且，晋文公是靠你们秦国的力量，才能回到晋国，登上国君的宝座，他说为了报答您对他的恩情而把焦、瑕（均在今河南省陕县附近）两个地方许给秦国，但是他一过黄河回国，就马上在焦、瑕两个地方修筑城墙，设置防御工事。这件事您是知道很清楚的。那个晋国哪会有满足的？晋国既已取郑国作为它东边的边界，又极力扩张它西面的边界；若不从秦国挖块土地，那它哪里去取得它所要的土地呢？灭亡郑国，损秦来利晋，希望您好好考虑考虑这件事。”

秦穆公很高兴，就与郑国签订盟约，并派遣秦国三位大夫杞子、逢孙、杨孙戍替郑国守在国境，然后，秦穆公回到秦国。

晋国大夫狐偃要求晋文公派兵攻打秦国。晋文公说：“不可以，要是没有秦穆公的帮助，我今天也做不了晋国的国君。凭借人家的力量成功之后，而去损害人家，这是不仁。失去了同盟国家，这是不智。破坏了团结合作，这是胜之不武。我也想回去了。”于是，离开了郑国。

秦、晋殽之战

僖公三十二年（公元前628年）

鲁僖公三十二年冬，十二月十一日，晋文公去世。十二日移灵于晋国公室祖坟所在地曲沃（在今山西省关喜东）。当灵柩离开晋国国都绛（在今山西省翼城东南）时，灵柩之内发出如同牛叫一样的声音。晋国掌管卜筮之官郭偃听到了秦国的密谋，所以假借着灵柩之内发出来的声音，使群臣跪拜，并说："这是先君嘱咐我们战争大事，西边秦国的军队大概会越过我们的土地，到时候攻击他们，一定会大胜一场。"

秦国大夫杞子自郑国派使者回国报告说："郑国人派我防守郑国北疆的门户，假如秘密派军队出来，加上我做内应，郑国是唾手而得的。"秦穆公听了之后，就拜访蹇叔，问他对于这件事的看法。蹇叔说："以疲惫的军队去偷袭远方，我不曾听说过这样的事情。军队疲劳不堪，加上远方的国君一定防备，大概行不通吧！军队的行动，郑国人一定知道，劳苦而无所得，一定有悖逆之心，何况每日行军千里，哪个人会不晓得？”秦穆公不太开心地离开了，而召见孟明视、西乞术、白乙丙，派遣他们出师，离开东门。蹇叔为这些军队流泪，并说：“孟明视，我看这些军队只有出去，不会回来了。”秦穆公的使者粗暴地对蹇叔说：“你知道什么，假如你只活个六十来岁，你坟边的树木已经拱抱了，真是老不死！”

蹇叔的儿子，也加入了秦国远征军。蹇叔哭着送他说：“晋国军队必定在殽（在今河南省洛宁西北）布置防御。殽有二座大山头，君皋的墓穴在它的南边的山头，周文王曾在它的北边山头躲避风雨。你一定在这两座山头之间战死。我会来替你收尸的。”秦国军队向东进发。

僖公三十三年（公元前627年）

鲁僖公三十三年春天，秦国军队经过周王畿的北门（在今河南省洛阳西北）的时候，秦军兵车上左戎、右卫脱下铁盔，下车步行，对周襄王示敬。但刚一下车又跳上车，表现出轻狂无礼。王孙满当时年纪虽小，看到这种情形，就对周襄王说：“秦国军队轻狂放肆，又不遵守礼法，出兵打仗一定失败无疑。轻狂放肆就不会周密计划，不遵守礼法就不能小心谨慎。行军入于险要之地而粗心大意，又不能计划周密，能不失败吗？”

秦军到了滑国（在今河南省偃师南），郑国商人弦高正要往王城（在今河南省洛阳西北）去做生意，路上遇到了秦军。于是弦高先拿四张皮革，再拿十二头牛，慰劳秦军。并对秦军统帅说："我们国君听说你们秦军要路过我们郑国，我们冒昧地来慰劳你们的军队。我们郑国虽然不是富裕的国家，但怕你们的军队要滞留下来，我们愿意供应你们的粮秣，如果你们的队伍要开拔，我们愿为你们守夜，保卫你们。"同时，差使驿车赶紧回国报告这种情况。

郑穆公知道这件事，立刻派人去监视秦军驻在郑国使馆的情形，发现秦人正在捆束行装、磨砺兵器、喂饲马匹，准备行动的样子。于是，郑穆公派遣皇武子代表郑国向他们提出照会，说："你们在敝国停留了很久，大概由于每日生活的粮食，以及日用必需品已经告罄，所以你们收拾行装，准备离开敝国。其实，郑、秦两国一向交往密切，友谊深厚，我们郑国的园囿原圃（在今河南省中牟西北），就像你们秦国的园囿具圃（在今陕西省陇县西）一样；你们可以在原圃取得你们的生活必需品，以便在我们郑国住下来，你们看怎么样？"秦国使者杞子等人一听，知道郑国已经识破了他们的计划，于是杞子逃亡齐国，逢孙、杨孙逃亡宋国。

秦军主帅孟明视观察情势，然后说："郑国有所准备，我们对他们不存什么希望。我们攻打他们，不一定能打垮他们；要是包围他们，我们的后力会不继。不如班师回国吧！"于是消灭滑国而率兵回国。

晋国大夫先轸说："为了贪图并吞郑国，秦国违背了蹇叔的忠告，劳苦了人民，这是上天赐给我们的良机。天机不可丧失，敌人不可放纵；放纵敌人，贻害无穷；违背天机，生灾不祥，一定要攻击秦国军队。"栾枝说："我们没有报答秦国对我们的恩惠，而去攻击他们的军队，这是忘掉了先君么？"先轸答道："秦国不为我们的丧事哀伤，却乘这个时候攻打我们姬姓的国家，这是秦国不守礼法，哪有什么恩惠？我听说，放纵敌人一天，就造成好几世的祸患。我们出兵攻击秦军，是为后世子孙打算，怎么能说是忘掉了先君？"于是发出动员命令，同时也派驿车传令姜戎要他们动员军队。晋襄公当时穿着黑色丧服亲自率军出征，梁弘驾车，莱驹为右卫。

夏天，四月十四日，晋国和姜戎的联军，在殽（在今河南省洛宁北）击溃了秦军，俘虏了百里视、西乞术、白乙丙。于是晋人穿了黑色丧服安葬晋文公，晋人从此就穿黑色衣服。

晋文公夫人文嬴请求襄公释放秦军三位将领说："这三人实在是挑拨晋、秦两国君主的人；我们秦国君主就是吃了他们的肉，还是心有不甘，何必屈尊您去惩罚他们呢！就释放他们回去，让秦国把他们杀了，好满足我们秦君的愿望，您认为怎么样？"晋襄公答应了，并释放了他们。

先轸上朝，问起秦国俘虏。晋襄公说："我母亲请求放了他们，我已经放了他们。"先轸发怒说道："战士们在战场上费了很大气力才把他们抓住，一个女人在一瞬间就把他们赦免、放了；

毁坏了军队的战果，而助长了敌人的仇恨，亡国的日子不远了！”先轸气急败坏，也顾不了君臣之礼，就在襄公面前吐唾沫。

晋襄公派阳处父去追秦国三将领。追到黄河边，发现秦军三将领已在河中船上了。阳处父便把车左的骖马解开缰绳，假借襄公的命令赐给百里视，想借百里视回头取马时，把他们一举捕获。百里视稽首谢道：“蒙你们国君的恩惠，不把我这个俘虏杀了，用我的血去涂鼓，释放我回去，到秦国接受死刑；要是我们秦国的君主判我死刑，把我正法了，我身虽死，也不会忘记你们君主的恩惠。假如，托你们的国君的福，我能够幸免不死，三年之后，再来谢拜，领取你们国君的赏赐。”

秦穆公穿着素衣素服率领群臣在郊外等候，对着秦国军队不住地落泪，并且说道：“我不听从蹇叔的忠告，害得你们受到侮辱，这真是我的罪过。我不曾下令中止百里视率军攻伐郑国，这也是我的过失。诸位大夫有何罪过。而且我不会以小小的过失而掩盖大的成就。”

郑国俘虏宋国大夫华元

宣公二年（公元前607年）

鲁宣公二年，春天，郑公子归生接受楚国的命令，率领郑军讨伐宋国。宋国大夫华元、吕乐率兵防御郑军的攻击。二月十日，郑、宋两国军队在大棘（在今河南省柘城西北）大战，宋军大溃败。郑军俘虏了华元，杀死了吕乐，并掳获兵车四百六十辆，俘虏二百五十人，截取宋军一百个左耳。

宋国大夫狂狡在战场遇到郑国士兵，郑国士兵掉入井中，狂狡把戟倒拿着，把那个郑国士兵从井中救出，结果狂狡反被郑国士兵俘虏。

君子批评狂狡被俘说道："狂狡错失行军之礼，违背杀敌之命，他被敌人擒获是理所当然的事。战争中，知晓勇敢和刚毅达成命令就是礼。杀敌就是果敢，达成果敢杀敌就是毅。我不杀敌，敌必杀我。"

宋、郑战前，华元杀羊犒赏兵士，没分给给他驾车的羊斟。

后来到战争时，羊斟说：“前些时分羊肉，是你当家做主；今天驾车，可就是我当家做主。”和华元一同驰进郑军之中，故意战败。

君子批评道：“羊斟真不是人。因个人的私怨，而败国殃民；在刑法上看，没有比这更大的罪了。《诗经》上所说‘丧尽天良的人’，大概就是说像羊斟这种人吧！只为满足个人一时之快，而使人民受到残害。”

宋国用兵车一百辆，花马四百匹向郑国赎华元回国。刚把一半车马送到郑国，华元就逃回宋国。华元立在城门外，向守城的官吏说明自己的身份，然后入城。华元见到叔牂（zāng），叔牂说：“大概是你的马不听你指挥的缘故，才使你败落被俘。”华元说：“不是马不听指挥跑入郑军，而是有人和我作对的缘故。我们宋国既然已和郑国讲和，我就跑回来了。”

后来，宋国人筑城，华元为主帅负责监工，巡视工程进行的情况。筑城的人民唱道：“大眼睛，大肚子，丢盔甲，吃败仗，逃回来。大胡子，大胡子，丢盔甲，吃败仗，逃回来。”华元差使他的左、右侍卫也对唱道：“牛有牛皮，犀牛皮更多，丢弃盔甲，那有啥关系。”筑城的人又唱道：“纵然牛皮多，丹漆却不够，你看怎么办？”华元说：“走吧！走吧！他们人多口多，我们说不过。”

晋灵公不行君道

宣公二年（公元前 607 年）

晋灵公做国君，却不行君道。他加重赋税，用来在墙上装饰壁画；从楼台上用弹弓射人，而看别人怎么躲开弹弓的子弹。有一天，宰夫（就是掌管膳食的官）给他炖熊掌，没炖烂熟，他就把宰夫给杀了，放置在畚箕里头，故意让一个妇人用车装载，经过朝廷，给群臣来个下马威。赵盾和士会看见了宰夫的手，问起事情的究竟，而为这件事忧虑。赵盾准备去进谏晋灵公，士会说："你要是进谏之后，他仍不听的话，那么，没人能继续进谏了。我先去进谏，要是他不听的话，那么，就请你再接再厉。"士会往前走了一段路，伏到地上行礼，晋灵公知道他要进谏，假装没看见；士会只好又往前走，再行礼，灵公还是假装没看见；士会又向前，走到了屋檐下，灵公无可避免，才理他。灵公却先发制人地说："我知道我所犯的错误，也准备改掉这些错误。"想把士会的话挡回去。士会仍然行了稽首礼（稽首是古人最恭敬的礼节，动作近于磕头，但要先拜，然后双手合抱按地，头伏在手前边的地上并停留一会儿，整个动作都较缓慢），然后对答道："哪个人不犯错误，要是犯了错误而能改正的话，没有比这更了不起的事了。《诗经》上说：'哪一件事没开头；有始有终真不多。'照这样看起来，能够弥补错误的人是很少的了。您要是能有始有终，那我们的国家就巩固了，岂单单我们这些臣子能够依靠您。《诗经》上又说：'天子有阙失，只有仲山甫能补之。'这是说能补过的意思。您要能弥补过失，您就不会失去您的君位。"

晋灵公还是不改过迁善，赵盾接二连三进谏。于是，晋灵公非常讨厌赵盾，派了晋国大力士鉏麑（chú ní）去刺杀赵盾。鉏麑天不亮就去，发现赵盾卧室的门是开着的；看见赵盾穿戴整齐准备上朝，由于时间太早，他坐着打盹儿。于是，鉏麑退了出来，感叹地说道："一个人处处不忘恭敬，是人民的真主人。杀了人民的真主人，是不忠；舍弃了国君的命令，是不信。人生在世，如有不忠不信之中的任何一样，真是生不如死。"就这样，鉏麑头撞槐树而死。

鲁宣公二年，秋天九月，晋灵公赐赵盾酒喝，暗地里却埋伏穿铠甲的武士，准备刺杀赵盾。赵盾的勇士提弥明发现了这件事，就快步走上堂去，说道："臣侍候国君的宴饮，超过三爵（爵，古时饮酒器），就不合于礼了。"赶紧扶着赵盾走下堂去。晋灵公唤出了他的猛犬。提弥明徒手就把猛犬打死了。赵盾说："抛弃了人而用犬，犬虽然凶猛，但有什么用？"于是一边打，一边向外走出。提弥明为赵盾殉难了。

有一次，赵盾在首山（在今山西省永济南）打猎，曾在桑树树荫下过夜，见到灵辄因饥病倒，问灵辄得了什么病，灵辄回答："三天没吃东西了。"于是给他东西吃，灵辄只吃了一半。赵盾又问为什么不吃了，灵辄回答道："臣出外游学了三年，当了三年的官差，如今不知母亲还在不在人间。现在离家近了，请把剩下的一半送给她吃。"赵盾要他吃干净，并为他准备一筐的饭和肉，放在皮口袋一起给他。不久，灵辄做了晋灵公的武士。当赵盾一边打，一边逃的时候，灵辄掉转戟头来抵挡晋灵公的手下，使赵盾脱身。赵盾问他为什么这样做，他回答说："我就是桑树树荫地方的那个饿倒的人。"又紧接着问他的名字和住的地方，他不告诉赵盾而退走了——赵盾也一个人逃跑了。

九月二十七日，赵穿在灵公的园囿桃园杀了灵公。赵盾没有跑出晋国的国境，又跑回来了。晋国太史（太史是官名，掌管记载国家大事）董狐写道："赵盾弑杀他的国君。"拿到朝廷上公布。赵盾说："不是这样。"董狐对答道："您是一国的正卿（正卿，一国的主要政务官），逃亡时候居然不越出国境；返回来时也不声讨国贼，不是您弑杀国君，那会是谁呢？"赵盾感叹说道："唉！'由于我眷恋祖国，反给自己带来了忧戚'，大概就是指我这种情况而言吧！"

孔子后来评论这件事情说："董狐是古代的好史官，写史书的时候毫不隐瞒。赵盾是古代的好大夫，为了史官的原则而蒙受弑杀国君的恶名。这也太可惜了，要是他逃亡时跑远一点，越过晋国的国境，就可免掉蒙受弑杀国君的恶名。”

王孙满答楚庄王问九鼎

宣公三年（公元前606年）

鲁宣公三年春天，楚庄王攻伐陆浑戎。(陆浑戎原居今甘肃省西部安西县，后迁徙到秦、晋两国的西北。鲁僖公二十二年，〔公元前638年〕秦、晋两国诱迁陆浑戎至伊川〔在今河南省嵩县东北〕)，乘势打到雒水（即今河南省的洛水）流域，在周天子王畿境内展示武力。

周定王派周大夫王孙满犒劳楚军。楚庄王想逼取周的天下，向王孙满问自禹相传九个宝鼎的轻重和大小。

王孙满回答楚庄王说："得天下在于其有崇高的德望，为天下人所归往；不在于占有宝鼎，具备神器。从前夏朝刚刚树立德望——大禹王——的时候，远方的人把当地珍奇异物画成图片拿来上贡，九州之长上贡金铜，然后把珍奇异物的图像铸造在宝鼎之上，宝鼎之上具备各种奇形怪状，使人民知道鬼神百物的形状，有所防备。所以人民进入深山、大川、沼泽、树林，不会遇到不顺的事情；妖魔鬼怪，一个也碰不到。因此上下能够和谐一致，共同承受上天的保佑。由于夏桀倒行逆施，国家灭亡，保不住这九鼎，这九鼎迁到商朝王廷。商人保有这些宝鼎六百多年，后来商纣暴虐无道，这些宝鼎又归周人所有。假如一个国家有美德善行，鼎虽小犹重，别人也是搬不走的，假如一个国家的政治混乱、邪恶，鼎虽大犹轻，别人一搬就走。上天赐福给美德善行的人，但也能收回他的福赐。周成王得九鼎，定都郏鄏（jiá rù，在今河南省洛阳）时，曾经占卜，卜问周室可传多少世代？卜兆显示周室可传三十世。卜问周可享祚多少年？卜兆显示周可享祚七百年。周室的年世是上天命定的。周天子的德望虽然有衰落的迹象，可是天命还没有改变、转移。九鼎的轻重大小，现在还不到问的时候！”

晋、楚邲之战

宣公十二年（公元前597年）

宣公十一年，郑国和晋国盟辰陵（在今河南省淮阳西南）。宣公十二年，春天，楚庄王率兵包围郑国都城（在今河南省新郑县）。包围十七天之后，郑国人卜问与楚国求和的事，结果是不吉。于是，卜问在郑国祖庙哭祭，准备巷战如何？结果却吉。于是，郑国人在祖庙大哭一番，表示有必死决心（请求祖宗保佑），防守城墙上雉堞的士兵也都落泪了。

当庄王率领军队后撤，郑人赶快修补城墙；楚庄王又率军前来包围。楚军包围三个月，方才攻下郑国都城。楚军从皇门打入，占据了通衢大道。郑襄公脱去上衣，光着肩背，手中牵羊，迎接楚庄王，说："我不得上天保佑，不能好好为楚君效劳，触犯楚君，使楚君发怒，而连累了我们国家，这是我的罪过。我哪还敢不唯命是听！就是把我俘虏到江南，充实海滨无人居住的地方，我们也只有听命了。若是把郑国剪灭分赐诸侯，使郑国的人民变成臣妾奴仆，我们也只有听命了。假若你顾念我们从前的友好，肯为厉王、宣王、郑国桓公、宣公的子孙求福，不消灭他们的国家，使郑国相当于九县的地位，来侍奉楚君，这就是您的大恩大德，也是我的心愿。我并不敢存有什么奢望，只是把心里的话向您说出。一切一切都由您来安排决定。”

楚庄王左右的人说：“不能答应他的要求。既已取得人家的国家，就不可赦免！”楚庄王说：“郑国的国君能屈居于他人之下，一定能受到他的人民信任，也一定能支使他的人民！哪能对郑国存有过分的野心呢？”楚军后撤三十里，而答应与郑国讲和。

楚国大夫潘尫（wāng）出使郑国签订盟约，郑国派遣公子去疾到楚国去做人质。

夏天，六月，晋国军队准备解救郑国的围难。荀林父率领中军，先縠为中军佐；士会率领上军，郤克为上军佐；赵朔率领下军，栾书为下军佐。赵括、赵婴为中军大夫，巩朔、韩穿为上军大夫，荀首、赵同为下军大夫；韩厥为司马。

晋军到了黄河河岸，听说郑国已和楚国讲和；荀林父打算回去，说道：“救郑已经来不及了，不如回去，要是现在赶到郑国，只能劳民伤财，那干什么？等楚军班师回国，我们再兴师采取行动，也不算迟。”士会也说道：“好主意！我听说用兵是要看时机而采取行动，一个国家的恩德、刑罚、政治和典礼不变动，不可与它为敌，也不可征伐这样的国家。楚国人征伐郑国，是因郑国对楚国的盟约存有二心而愤怒，却又怜悯郑国人的低声下气。当郑国背叛盟约时，楚国就派兵征讨；当郑国认罪后，楚国又赦免了郑国。这样建立起楚国的恩德与刑罚。讨伐叛逆就是表现一个国家的刑罚，用怀柔办法对待服罪的国家就是表现一个国家的恩德。楚国的恩德和刑罚都建立起来了。楚军去年进军陈国，今年又进军郑国，人民并不感到疲劳，楚君也没有遭受毁谤。他们的政治上轨道了。

楚国把战阵布置完毕，商、农、工、贾，各行各业没有停止工作，而战车上的士兵相处和睦，又没有作奸犯科的人。孙叔敖掌管楚国的政事，斟酌楚国古代政典法令。楚军作战，以兵车为主力，行军之时原在兵车右边的步卒，立刻分散在兵车两旁严阵以待。左军负责补给，提供粮草，扎营安寨；哨兵侦察敌踪，以茅旗发出信号，鸦雀无声；中军权衡大局，指挥全军；后军全是精兵，争取最后关头的胜利。不论部队大小都按照各种鸟兽图案的旗帜的旗语而行动，不等主帅下令戒备，士兵们就都提高警惕，有所防备。孙叔敖真能建立制度。楚国君主举用人才，凡是同姓有才能的人，就从国君的亲族中选出来；凡是异姓有才能的人，就从国家的旧臣中选出来；任用人才，不曾遗漏有德的人；赏赐爵禄，不曾遗漏有功劳的人；年老的人受到优待，过路的旅客受到赐予；日常的衣服、用品，按照地位的尊卑，有一定的等级制度；地位高的贵族常保他们的尊严，地位低的人民也有符合他们身份的威仪，不许令人任意凌辱。这真是遵守礼数，不背礼行事了。恩德树立，刑罚不失，政治成功，事情合时，法令遵行，按礼办事，怎么能和这种国家为敌？看见有机可乘，就挥兵进攻；知道难以取胜，就带兵撤退：这就是带兵打仗的好策略。吞并弱小不振的国家，攻取政治昏乱的国家：这也是用兵的好原则。你们要是整顿军旅，经营武备，弱小不振而政治昏暗的国家多得是，何必一定要和楚国战一场不可？仲虺（huǐ），商汤的左相有句话说：‘可以用兵强取动乱不安的国家，可以使强侮辱萎靡不振的国家。’这是说可以吞并弱小不振国家。《酌》诗其中有句：‘壮盛的武王军队，顺着时机，取攻那个昏昧。’这是说可以讨伐政治昏乱国家。《武》诗有一句说武王‘功业盛大，无可相比’。这是说安抚弱小，攻取昏昧，以求建立功业，是可以的。”先縠却不以为然地说：“不可以只求功业，而不择手段，乘人之危，并吞弱小。我们晋国所以称霸，是因为军队勇敢善战、人臣尽力负责的关系。今天，我们的保护国被楚军占领，不能说我们的人臣尽力负责；有敌而不去追踪，不能说我们的军队勇敢善战。要是从我们手中失去晋国霸主的地位，那还有何面目上对祖宗，下对子孙；那就不如死了算了。况且率领训练精良的军队开出晋国，一听说敌人强大就撤退回国，不像个男子汉大丈夫，却像块大豆腐。命令我们统帅军队，结果，我们的一切行动却不像大丈夫的所作所为。你们能办得到，我可办不到。”于是，先縠率领中军佐的部队渡过黄河。

荀首说道：“这次中军佐的军队，大概凶多吉少！《周易》有这样的说法：师卦变到临卦，由‘地☷、水☵、师䷆’变成‘地

☷、泽☱、临䷒’，由‘水☵’成‘泽☱’。师卦初六说‘师出以律，否臧凶’，这是说开拔军队出发打仗，要有纪律，如果没有纪律，就会凶险。任何一件事如果要顺着事理去做，就会有好的结果；如果逆着事理去做，就不会有好的结果；如果逆着事理去做，就不会有好的结果。师卦变成临卦，由‘地☷、水☵、师䷆’变成‘地☷、泽☱、临䷒，由‘坎☵’成‘兑☱’。‘坎’是众人的象征，‘兑’是柔弱的免征，由坎变成兑，正象征众心涣散，力量变得柔弱了。‘坎’也是河川的象征，‘兑’也是湖泽的象征，由‘坎’变成‘水’，同时也象征着河川雍塞成了湖泽，原是便利的河川变成为一片难行的泥淖。

纪律就是每个人要守住自己的岗位，克尽职责，不做越分的事，行自己分内的事。败坏了纪律，就不好了，水流由满盈而干涸，因堵塞而不去疏通整理，所以凶险了。行不能叫作‘临’，有主帅的命令而不听从，还有什么比这个更行不通的事情？中军佐率兵出征这件事，正合乎这种情形。如果遭遇敌人一定战败，先縠也会受祸。即使他个人能侥幸免于难而回国，也必定有很大的罪过。”

韩厥对荀林父说：“先縠不顾全大体，所率领一股军队遭受败覆，您的罪可不轻！您是晋军元帅，军中有人不听您的命令，这是谁的罪过？丢掉属国，丧失军队的罪名不轻，我看还是下令进攻吧！如果打仗不能打胜，大家每人都肩挑一点责任。与其一个人把所有罪名承担下来，不如让六个人共同顶下来，不是比较好一点吗？”于是，整个晋军渡过黄河，走向郑国的战场。

楚庄王的军队向北开拔，到了郔（yán，在今河南省郑县东），楚国大夫沈尹率领中军，公子婴齐率领左军，子反率领右军，他们准备打到黄河边才鸣鼓收兵，撤退回国。当楚军听到晋军已经渡过黄河，楚庄王想要撤兵回国；但他的宠臣伍参希望开战。令尹孙叔敖也不愿意继续与晋作战，说："前几年我们进军陈国，今年我们进军郑国，我们军队的作战不能算少。如果打不了胜仗，伍参的肉能让我们吃饱吗？”伍参说："假如我们的仗打胜了，那孙叔敖就是无谋之士了。假如我们战打不胜，我伍参的肉将要带到晋国去了，你们吃得着吗？”孙叔敖不听，下令把车掉头南行，也把军旗掉头朝向。于是伍参赶忙对庄王说："晋国新任命的元帅，资历短浅，威望不够，所以命令不能下达。他的中军佐先縠，刚愎自用，既不悯怜士兵，又不肯听从命令；他们上、中、下三军统帅，各行其是，无人能专一做主；晋军的士卒就是想听从命令，但他们的最高统帅无力约束部下，一任众将发号施令，士卒也不知应听从哪一个的命令。这次战争，晋军必定战败无疑！况且，楚如退兵，则是君从臣的面前逃开，这怎么对国家交代？”楚庄王深感以一个国君去躲避一个臣子为耻；于是，告诉令尹孙叔敖改变车子进行的方向，而向北前进。楚军在管（今河南郑北）安营扎寨，等待晋军的到来。

晋军驻防敖山、鄗（qiāo）山（均在今河南省广武县附近，敖山在县西北十五里，鄗山在其南）。

郑国皇戌出使到晋军，对晋军说：“郑国顺从楚国，是一时为保全郑国的权宜之计；郑国对晋国绝无二心，始终忠贞。楚军骤然获胜而骄傲，他们军队如今已经暮气沉沉，而不提高警觉。你们晋军先出击，郑国的军队就跟着响应，如此一来，楚军必败无疑。”先縠赶紧说：“打垮楚国，收服郑国，就在此一举！一定得答应郑国的请求。”栾书说：“楚国自从消灭庸国（在今湖北竹山）以来，他们的国君治理人民，没有一天不是在教导他们：人民生活不容易，要小心谨慎，说不定什么时候有飞来横祸；时时要谨慎小心，不可以懈怠。楚君治理军队，无一日不在申明告诉他们：胜利的果实不可常保，商纣王有百次战胜的记录，结果却亡国绝后。楚君把他们的祖先若敖、蚡（fēn）冒乘着柴车、穿着破衣、开辟山林、垦拓荒野的艰辛勤俭的精神告诉楚人。并有‘人的生计在于勤俭，能够勤俭，生计就不匮乏’的箴言。像这个样子不能说他们骄傲。先大夫狐偃说：‘军队出兵打仗，理直气壮，斗志昂扬；理亏气短，暮气沉沉。’现在我们没有德行，而招怨于楚国，变成我们理屈，楚国理直。我们不可说楚军暮气沉沉。他们国君的兵车分为两广，每广有兵车十五辆，每辆兵车有军士三人，步卒七十二人，每广十五乘一千一百二十五人。又每广有一卒（一百人）作为后备部队；每卒又有一偏（五十人）和一两（二十五人）作为它的后备力量。右广从鸡鸣时开始驾车出发，数其时刻，至日中而止，然后由左广接替，一直到日落黄昏为止。国君左右的卫士按照秩序值夜守卫，以防意外。这不可说楚军放松戒备。子良是郑国的贤人，潘尫是楚国所尊崇的人。潘尫入郑，订立盟约；子良往楚，作为人质，楚国和郑国关系亲密了。现在皇戌来劝我们与楚作战，我们要是战胜，他们就来投靠我们，我们要是失败他们又去往靠楚国。郑国使者只是投石问路，摸摸我们的动向。不可以听从郑国使者的。”赵括、赵同说：“率领军队以来，一天到晚在找敌人；如果我们胜利，就能获郑为属国，还等什么？一定要听先縠的。”荀首说：“赵原、赵括是闯祸一类的人。”赵朔说：“栾书说得对！实践他所说的话，必定能在晋国当权。”

楚国少宰到晋军，说道：“我们国君少年不幸遭遇忧愁困苦的处境，不善于言辞。他曾听说我们楚国成王、穆王二位先君来往在这条征伐郑国的道路上，为的是教导郑国，安定郑国。哪里敢得罪晋国？请你们不要在这里滞留太久。”士会回答说：“从前周平王任命我们晋国先君文侯说：‘晋国与郑国共同来辅助周王室，不可废置王的命令而不顾。’现在郑国不能遵从王命，我们国君使我国群臣到郑国来探问，并没有与贵国打仗的意思，怎么敢屈尊贵国的哨兵，来侦察我们的军情。”先縠认为士会的话太软弱谄媚了，派使赵括追上楚国少宰而更改说辞，说：“我们的外交代表说错了话。我们国君命令群臣把贵国人在郑国的行踪挪开，并命令群臣不许躲避敌人。我们群臣是无法逃避我们晋君命令的。”

楚庄王又遣使者到晋军求和，晋国人答应了；并约定盟誓的日子。楚国大夫乐伯乘车居左、许伯驾车、摄叔为右卫，到晋军阵前挑战，故布疑阵，表示不欲求和。许伯说：“我听说到敌人阵前挑战，作为一个驾车的人，应该很快地驾着兵车走近敌阵，把军旗斜举着，使它摩擦到敌人的军垒，然后回来。”乐伯说：“我听说到敌人阵前挑战，车左要射出菆（zōu）箭（是一种质地坚好的箭），替代驾车的人拿着辔绳，好让驾车的人下车将马排比整齐，调整缰绳而后回来。”摄叔说：“我听说到敌军阵前挑战，做右卫的人应该进入敌人的军垒，杀死一个敌人，截其左耳，并擒来一名俘虏，然后回来。”这三个人都按照他们所听说的向敌军挑战的方式做了一遍，然后回来。

晋军就来追逐他们，从左右两边夹攻。乐伯从左边射马，从右边射人，夹攻他们的人不能前进，结果箭只剩下一支了，突然车前出现了一只麋鹿，乐伯张弓一射，就射中了麋鹿的背脊骨。晋国的鲍癸正在他们车的后边穷追不舍，乐伯命摄叔把这麋鹿献给鲍癸。摄叔献麋鹿的时候说：“现在还不到打猎的季节，那些上贡的禽兽还没到，所以才冒昧地拿这只麋鹿来慰劳你的部属，略表心意。”鲍癸命令与他一起追逐的晋军停止，并说：“楚军车左射得准，车右会说话，是君子啊。”于是停止追逐。

晋国的魏锜要求公族大夫的官，没得到而怀恨在心，想要晋军吃败仗。于是魏锜就要求到楚军阵前挑战，晋军不答应；请求出使楚国，获得许可。他便前往楚军，然而他竟代表晋军向楚军挑战，然后回来。楚国潘党就带人追逐他，一直追到荥泽（在今河南省广武）。魏锜看见六只麋鹿，他就射了一只，回头献给潘党，说：“你将有军事行动，管理牲畜的人恐怕不能供应军队所需的鲜肉，我冒昧地把这只麋鹿献给你！”潘党下令，不再追赶魏锜。

晋国的赵旃（zhān）要求做个卿的官，没能成功，心中已经不快；并且对于没把楚军前来挑战的人给抓着而让他们逃跑了，又感到十分生气。于是他请求到楚军阵前挑战，没获得许可；请求召集诸侯会盟大会，得到了许可；他就与魏锜两人先后接到命令前往楚国召开盟会。

郤克说：“一个心怀不满的人已经走了！要是不加强防备，就一定会吃败仗。”先縠说：“郑国人要求我们帮助他们打仗，我们却不敢听他们的话；楚国人来跟我们求和，我们却不能真正做好；我们出师作战，意图屡变，命令始终不能如一。就是加强戒备，实际上又有什么作用呢？”士会说：“还是防备的好。假如他们两人挑拨离间，触怒楚国，楚国人乘机来攻打我们，那我们立刻就会丧师覆军，不如防备点好。如果楚国没有恶意，我们就解除装备而和他们订立盟约，这对于两国的结好是不会有任何损失的。如果楚国心怀不轨而来，有防备就不遭失败。何况诸侯会面，卫兵都不撤除，就是为担任警戒的缘故。”先縠却不同意士会的意见。士会命令上军大夫巩朔、韩穿率领军队在敖（在今河南省广武西北）之前方布下了七处的埋伏，所以上军没吃败仗。中军大夫赵婴齐命令他的部队先在黄河边准备了船舟，所以当中军吃败仗而能先渡过黄河。

潘党已经追逐了魏锜，赵旃晚上到达楚军之中，无所畏惧席地而坐在军门之外，派遣他的部属走入晋军。

楚庄王做了三十辆的兵车，分为左、右两广。右广当鸡一叫就驾车出动，日正当中的时刻就休息了；同时左广在日正当中时刻接受命令，开拔出发，日入的时候休止。许偃驾驭右广的帅车，养由基为帅车右卫；彭名驾驭左广的帅车，屈荡为帅车的右卫。六月十四日，王乘左广的帅车去追逐赵旃，赵旃乘车逃入树林之中，屈荡和他肉搏，得到他的甲衣。

晋人害怕魏锜、赵旃挑拨离间，触怒楚师，命令防御守备的兵车去迎接魏锜、赵旃，表示不再打仗。潘党看见尘土飞扬，就遣人回军营报告，说："晋军已经到了。"楚军怕他们的国君陷入晋军的手中，派兵出阵迎战。孙叔敖说："进击晋军。宁可让我们的军队逼近晋军，不可让晋国的军队逼近我们。《诗经》说过：'元戎十乘，以先启行。'大车十辆，在前开道，要比敌人早采取行动。《军志》上也说：'先人有夺人之心。'先发制人，可夺取敌人的战斗意志。逼近他们！"于是，命令军队全速前进，兵车驰骋，步卒奔跑，乘晋军不防备，冲进晋军。晋军主帅荀林父不知该怎么办，在中军击鼓说道："凡是先渡过黄河的有赏。"中军、下军的士卒争先恐后抢夺船只，已上船的人害怕船过重而引起沉船，于是用刀乱砍攀附船舷的手指，结果船上有一把一把的手指头。

晋军退过黄河，只有士会所统率的上军没有败退。楚国大夫工尹齐率领右翼部队来追逐下军。

楚庄王派遣唐狡和蔡鸠居为代表告诉唐惠侯（唐是春秋小国，

在今湖北省随县，后为楚所灭），说："我没有德行而又贪婪，造成大敌当前，这是我的罪过，然而楚国不能打胜仗，亦是您的耻辱！我冒昧地借您的福气，来协助我们楚国作战！"于是命令潘党率领游击兵车和补给兵车四十辆，听从唐惠侯的指挥，作为左翼进攻部队，去追踪晋国上军。郤锜说："要不要等楚军来，跟他们一决胜负？"士会说："楚国军队，现在正是气盛的时候，如果集中军队和我们战一场，我国军队一定会丧失殆尽，不如收兵而回，一方面可分担其他统帅失败的罪名，另一方面也可减少士卒伤亡，这不也可行吗？"士会以上军为晋军的后卫，撤兵而退，没吃败仗。

楚庄王看见右广的兵车，想坐右广的兵车；屈荡阻止他，说："您起初乘坐左广兵车，就必须乘坐到底，不可中途改变。"从此之后，楚国的兵车总是左广的兵车先行。

晋军之中，有兵车坠陷坑中，前进不了；楚兵有人教导晋兵该把车前横板给卸下来。走不了多久，马又打转，不肯前进；楚兵又叫晋兵拔去军旗，把军旗扔在车的横木上；于是马乃肯前进。这时晋兵却回头对楚兵说："我们不像贵国常吃败仗，经常逃跑，所以你们很会使兵车脱险。"

赵旃把他的两匹好马，给了他的哥哥和叔父；而用其他的马驾车回来。他在回国途中遇到敌人，不能甩脱，于是，弃车而逃入树林。晋国逢大夫和他的两个儿子乘车逃走，怕他儿子发现赵旃，告诉他两个儿子说："不要回头看！"他的儿子偏偏回头看，说：“赵旃在后面！”逢大夫对他儿子的举动很生气，命令他们下车。逢大夫指着树木说：“将来我在这里找你们的尸体！”把登车的绳索递给了赵旃，于是赵旃免祸。第二天，按着标记去找他儿子的尸体，两个人都被敌人所杀，尸体重叠在树下。

楚国大夫熊负羁俘虏了荀首的儿子荀罃，荀首要率领他的部属去寻找、营救荀罃。魏锜驾驶兵车，下军的士卒多听从魏锜的。每当荀首射箭，抓到质地坚好的箭，就放在魏锜的箭袋里，舍不得射出，魏锜很生气地说：“你不去找儿子，而一味爱惜那杨柳做的箭，董泽（今山西省开喜）地方的杨柳多得是，你挑不尽的，你拣不完的！”荀首回答道：“不抓住敌人的儿子，我的儿子怎么找得回来？我一定看人用箭，我不轻易地射出好箭，所以，当我抓到好箭时才放在你的箭袋里。”荀首用好箭射楚国连尹襄老，射中了，于是用车装载了襄老的尸体；又射中楚王子谷臣，并俘虏了谷臣，把襄老的尸体和谷臣一起带回晋国。

到黄昏时刻，楚军在邲（在今河南新郑）安营扎寨；晋军的残余部队不再像个队伍，通宵渡河，整夜都有嘈杂声音。

六月十五日，楚军的辎重到达邲，于是又向前推进到衡雍（在今河南原武西北）驻军。

潘党对楚庄王说：“您何不把晋军的尸体埋在一起，把土堆在那上面，造一个大的楼台，来夸耀楚国的武功呢？臣听说战胜敌人，必定要告示子孙，让他们不要忘了祖先的武功！”楚庄王说：“这你就有所不知了。‘武’那个字，是由‘止’、‘戈’二字构成，制止战争才是武的本意。周武王战胜商纣王之后，诗人作《时迈》诗歌颂他说：‘藏起干戈，弓箭放妥。唯求美德，理家治国。诚能如是，天下安和。’诗人又作《武》一诗，最后一章上有：‘万世传颂，丰功伟绩。’《赉》诗说：‘先王礼法，发扬光大，往征纣王，安定天下。’《桓》诗说：‘安定万国，屡有丰获。’武德有七要项：一是制止暴乱，二是消弭战争，三是维持强大，四是巩固功业，五是安定人民，六是和睦万邦，七是增加财富。所以要使子孙不要忘记了祖宗的功业。如今我使两国人民暴露尸骨于野地，这太强暴了；展示军队，用武力来威胁诸侯各国，战争是无法消弭了。强暴而不能消弭战争，这如何能保有天下？晋国虽然战败，仍然存在，我怎能巩固我们的功业？我们违反人民欲望的地方多得很，怎么能安定人民？我们不能以德服人，而与诸侯去强争强求，如何能和睦万邦？因人之危，而为己利；因人之乱，而为己安；变成自己的光荣；这如何能增加财富？武德有七项，我们竟连一项都没有，我们拿什么去告示子孙？我们还是先给楚国先君修建神庙，只把战胜晋国的事实告诉先王罢了；我们实在谈不上有什么武德的事。古代圣王，讨伐不敬王命、吞食小国的人，把那些人杀了而用土封埋他们的尸骸，作为正法的结果，于是乎才建造一个大门楼，去展示坏人的罪恶，作为一种惩罚，告诫世人。现在找不着晋国究竟有何罪恶，而晋国人民都效忠他们国君的命令，而牺牲生命，他们有什么罪恶？需要建造一个大门楼来展示？”

楚军在黄河南边上祭祀河神；同时，建造了楚国先君的神庙，向楚国列祖报告了与晋国作战得胜的事情。

这一场战争，实在是因郑大夫石制把楚军引入城，准备把郑国分一半给楚国，希望得到楚国的协助，拥立公子鲁臣为郑国国君而引起。六月三十日，郑国杀公子鲁臣和大夫石制，君子评论这件事说道："史佚曾说的'不要乘人之乱以利己'，正是说这种事情。《诗经·小雅·四月》说：'离乱岁月，生民困苦；归往何处，方是乐土？'生民的困苦应该归罪于那乘人之乱以图利己的人了。"

郑襄公、许昭公前往楚国。

秋天，晋军回到晋国。荀林父因兵败的缘故，请求死罪。晋景公想同意荀林父的请求。士会的庶子士贞子谏止晋景公，说："不可以这样做。从前城濮那场战争，晋军掳得了楚军三日的粮食，文公还面有忧色。文公左右的人说道：'有喜事而面却有忧色，难道有忧虑的事情反而面呈喜色不成？'文公说：'楚国令尹子玉还存在，不可以停止忧虑！一个受困的野兽还要作最后的挣扎，况且是一国的当政者呢？'等到楚国杀了子玉，文公高兴的心情别人方才看得出，文公说：'从此再没有人害我的了。'子玉一死，等于晋国再得到一次胜利，而楚国再遭遇一场失败；楚国从此而不振，不能与诸侯争强。这次战败，也许是上天来大大警告晋国，如果再杀主帅林父，等于又让楚国获得一场胜利，这不啻让晋国久久不能强盛，与诸侯争胜吗？林父为我主做事，上朝时就想如何尽忠职守，回家后就想如何弥补过失，是捍卫国家的好汉子，为什么杀掉他呢？他这次失败，只像日食、月食一样，虽暂时失去光明，但对于日月的光明会有什么样的损失呢？”晋景公命令让荀林父恢复原来的职位。

宋国与楚国讲和

宣公十四年（公元前 595 年）

楚庄王差遣申无畏出使齐国，并交代申无畏说：“不要向宋国借路。”同时差遣公子冯出使晋国，也交代公子冯不要向郑国借路。春秋时代，诸侯各国的使节经过他国的国境必须借路，今楚使经过宋、郑两国而不借境，表示对宋、郑两国的轻视，含有挑衅的意味。申无畏过去因宋昭公引导楚穆王在孟诸泽（在今河南省商丘东北）打猎时有过不快，对宋国很厌恶，说：“郑国人的头脑清楚，宋国人见事不明；出使晋国的使者不会有难，我则一定被杀害。”楚庄王说：“如果宋国杀害了你，我一定率兵讨伐宋国，为你报仇。”申无畏把儿子申犀托付了楚庄王才走。

申无畏经过宋国，就被宋人扣住了。宋大夫华元说：“路过我们国境而不借路，这分明是把我国领土当作楚国边邑。把我们国土当作他们边邑，这就跟我们亡国一样。杀了楚国的使者，楚国一定来讨伐我们。讨伐我们，大不了亡国。不管怎么样亡国，都是一样亡国。”于是杀了申无畏。

楚庄王听到宋国杀了他们的使者，非常震怒，甩了袖子站起来，没穿鞋、没带剑、没乘车，急速而走。左右捧鞋的人追到宫中走道，才给楚庄王穿上鞋；左右捧剑的人，追到国君后宫的殿门，才给楚庄王佩上剑；驾车的人追到蒲胥的市场，才赶上楚庄王让他乘车。秋天，九月，楚庄王率兵讨伐宋国。

宣公十五年（公元前 594 年）

宋国命令乐婴齐到晋国报告宋国的紧急。晋景公想要立刻救宋，晋大夫伯宗说：“不可以！古人曾说过：‘虽然鞭子够长，但不宜打马肚子。’现在是上天让楚国走运的时候，不可和它相争斗胜；虽然我们晋国很强盛，但能够违背上天吗？俗话说：‘遇事该伸该屈，心里应该有数。’河川水泽容纳浊物污秽，山林草莽包藏毒虫猛兽，瑾瑜美玉隐匿斑驳瑕疵；做国君元首忍受欺凌羞辱，这是自然的道理。尚请我主稍等一段时间去援救。”于是晋景公下令停止发兵。

晋国派遣解扬出使宋国，告诉宋国说：“晋国军队已经全部动员，不久就会到达宋国。”好使宋国不向楚国投降。解扬途经郑国，为郑国人所截获；郑国人把解扬押送到楚国，献给楚国。楚庄王厚厚贿赂了解扬，要他去说晋国不援救宋国的反话，但他不答应；楚庄王再三强迫他，他才答应了。于是，让他登上了攻城用的楼车（有一点像今天的有云梯的救火车），使他在楼车顶上大声地告诉宋国人，晋国不来援救，但他没有遵守对楚庄王的承诺，他完成了晋景公交付他的使命，告诉宋国人晋军就快到了。楚庄王很生气而想杀掉他，派人对他说："你曾答应我（楚庄王），而背叛了我，这是什么道理？不是我不守信用，而是你自己不守信用，我立刻就要行刑，将你正法。"解扬回答说："臣听说：君主能够制定正确的命令才是正义，臣能够承担正确的使命才是诚信。诚信要合于正义的原则去做，才是国家的利益。为国出谋定计，要保卫国家的安全，而不损害人民的利益，这才真是人民的君主。一件合乎正义的事情，没有正反皆可的诚信；一件诚信的行为，也没两个相反的命令。一个君主贿赂臣子变节，是不知道什么才是正义的命令。我受我国君主的命令出使于外，宁死也不废弃我国君主交付我的使命，这哪是可以贿赂的！臣之所以答应贵国的条件，是想借此来完成我国君主交与我的命令；我虽死但完成我国君主的使命，臣认为这是臣的福气。我们晋国君主有诚信之臣，臣能够完成使命；就是死了，又有什么遗憾呢？"楚庄王终于放了解扬，让他回国。

夏天五月，楚军准备离开宋国的时候，申犀在楚庄王的马前稽首说："先父明明知道出使齐国经过宋国是很危险的，若被宋国人截获是会性命不保的，但先父还是不敢不听我主的命令，冒着生命危险去达成使命。况且我主也答应先父，若先父遇害，就带兵讨伐，为先父报仇。如今我主失言背信！”楚庄王不能回话。正在驾车的申叔时提个建议说：“就在此地建筑房屋，并把因战争逃亡的农夫找回来，表示楚军打算在此地久居；如此，宋国一定听楚国的命令。”于是，楚庄王就照着申叔时的办法去做。

果然，宋国人感到恐慌，就让华元探知楚军的虚实，在黑夜中混入了楚军的军营，摸进楚军的右军将子反的营帐，把子反弄醒，用兵器挟持子反说：“我受我国君主差使，让我把宋国的困苦景象告诉你。我们宋国已经到了交换儿子来吃、劈砍骨骸当柴火来煮东西的地步。虽然，我们宋国如此困苦，但硬逼我们低头，向楚军投降，订立降约，是办不到的。如果楚军后撤三十里，解我们之围，那么一切都好商量。”子反一方面受华元的挟持，心感害怕；一方面对于宋国人到了“互相交换儿子来吃、劈砍骨骸当柴火来烧的情景，仍然不屈服”也感到害怕；于是就先私下和华元订立盟约；然后向楚庄王报告。楚国于是退兵三十里。

等到宋国和楚国签订和平盟约，华元被宋国派到楚国当人质。盟约上说：“我不诈骗你，你也不必顾忌我。”

齐、晋鞍之战

成公二年（公元前589年）

鲁成公二年春天，齐顷公带兵攻伐鲁国北边，包围了龙（在今山东省泰安）。齐顷公的宠幸卢蒲就魁攻打城门，龙人把他活捉了。齐顷公告诉龙人说：“你们不要杀他，我可以跟你们订立盟约，我们军队不进入你们的境内。”但是龙人不理会齐顷公的要求，把卢蒲就魁杀了，并陈尸于城墙上。齐顷公亲击战鼓，指挥作战，齐国战士爬上城墙，经过三天就攻下龙城，于是挥军南下，侵略到巢丘（在今山东省泰安）。

卫定公派遣大夫孙良夫、石稷、宁相、向禽率领军队侵略齐国，在途中遇到齐国军队。石稷主张退兵，孙良夫说：“不可以退兵。率领军队攻打旁国，在路途上遇到他们的军队就退却不前，班师回国，将怎么对君主交代呢？假若认为打不胜旁人，那么就不要率兵出国。今天既然遇到了旁国的军队，索性就跟他们战一场吧！”

夏天，四月三十日，卫国军队和齐国军队在新筑（在今山东省莘县）大战。

石稷对孙良夫说：“我们的军队战败了。您要不稍等一等，恐怕就会全军覆没！您丧失了兵众，如何去复命呢！”大家都没作声。石稷又对孙良夫说：“您是国卿，如果损失了你，可就是我们卫国的大屈辱。您带领军队撤退，我留在这里抵挡他们！”并且向卫军宣布，救援的兵车来得很多。于是齐国军队停止进攻，在鞫（jú）居（在今山东省莘县）扎营。

新筑人仲叔于奚救了孙良夫，孙良夫因此免于难。后来，卫国人赏城邑给他，他辞退了。仲叔于奚请求卫君把曲县（诸侯所用的乐器）和繁缨（诸侯所用的马饰）赏赐给他，允许他带曲县和繁缨上朝，卫君答应他的请求。

孔子在后来听到了这件事情，说道：“可惜！可惜！不如多赐给他一些城邑！礼用器物与爵位名号这两种东西不可随便赐给人，这两种东西是一国君主所掌管的。爵位名号是用来使人民信赖的象征，得到人民信赖才保得住礼用器物，礼用器物之中就含藏社会的礼法规范，礼法规范能使人做事合宜，做事合宜就能产生利益，治理人民主要就是为人民谋利，因此，为民谋利是治理人民最好的方法。礼用器物和爵位名号是政治上重大的关键。假如随随便便把礼用器物和爵位名号赐给人，就等于把政权交出去一样。一旦政权丧失，国家也会跟着亡了，到时候就无法挽救了。”

孙良夫回到新筑，不进城，而直接往晋国求救兵。鲁国大夫臧许也往晋国求救兵。他们全都住在郤克家中。晋景公答应派出七百辆兵车。郤克说："七百辆兵车是城濮之战的兵车数目。由于有先君文公的英明领导，和先大夫先轸、狐偃等人的才能卓越，所以才能打胜仗。我郤克比起先大夫们，简直是做他们听差都不配。"于是郤克向晋景公请求派遣八百辆兵车，晋景公同意。郤克统率中军，士燮统率上军，栾书统率下军，韩厥为司马，去援救鲁、卫两国。臧许迎接晋军，并为晋军做向导。鲁国大夫季行率领鲁军和晋军会合。到达卫国的时候，韩厥将要杀人，郤克知道后，立刻赶往去营救，赶到的时候，韩厥已经把人给杀了。郤克很快差人把死尸拿出去示众，然后郤克告诉他的仆人说："我这么做的原因，是要和韩厥共同负起杀人的责任，不要让韩厥独受杀人的诽谤。"晋军在莘（在今山东省莘县）追踪到齐国的军队。

六月十七日，晋军追到靡笄（jī）山（在今山东省济南历城南十里，或谓即千佛山）下。齐顷公差人去请战说："你们用你们国君的军队来侮辱我们齐国，我们齐国顾不得只有为数不多而又疲惫的军队，请求明天一早和你们晋国军队见面。"郤克答道："晋国和鲁、卫两国是兄弟之国。鲁、卫两国的使者向晋国求救说：'齐国经常跑到我们的国土上来找我们出气。'我们晋国国君不忍鲁、卫两国受欺，就派遣我们向齐国请求不要找鲁、卫两国的麻烦，也告诉我们不要让晋国军队久留在齐国的土地上，既向齐国进兵，就不能退，不需要你们齐国国君的吩咐了。"于是，齐顷公也答话了：“晋国的诸大夫同意与齐国作战，正合我的愿望。即使他们不同意和我们作战，我们也要跟他们一战。”齐国大夫高固驰入晋国军营中，举起石头来投人，擒住了一个晋国兵士，捉上他的兵车，车后系了一棵桑树，回到自己的营垒向齐国兵士炫耀示威，并说道：“谁需要勇气，可以买我剩余的勇气。”

六月十八日，齐国与晋国的军队在鞍（ān，在今山东省济南市历城西十里）摆开阵势。齐国大夫邴夏为齐顷公驾车，另一齐国大夫逢丑父为齐顷公的车右。晋国则以郤克为主帅，解张替他驾车，郑丘缓为他车右。齐顷公说：“我姑且先翦灭这些晋国军队，然后再吃早饭。”不给马披上甲，而使劲驱马前进。郤克被箭射伤，血一直流到鞋子上，仍然击鼓不息。郤克道：“我伤受得很重了……”驾车的解张说：“从一开始交战，箭射进了我的手，一直穿到我的手肘；我把箭折断继续来驾车，左边的车轮都已染成了深红色。我哪敢说我伤受得很重？您还是忍耐忍耐吧……”郑丘缓说：“自一开始交战，假如车遇到了泥泞或陷阱，我一定下去推车。您难道知道这些吗！但是，您真是受重伤了。”解张说：“我们这辆车的旗鼓是晋国军队的耳目，整个晋国军队的进退，都依靠我们这辆中军车的旗帜和鼓声，作为进退的标志。我们这辆中军车一人镇守着，可以成事。怎能够因为受伤而败坏了国君的大事呢？当穿上铠甲，拿起武器时，就已抱定必死的决心；虽然身体受伤，但还没死，就得请您勉强去做吧！”这时解张左手把着辔，右手拿起鼓槌打鼓，马向前冲无法停止，整个军队也跟着向前冲。齐顷公的军队大败。晋国军队追逐齐国军队，围着华不注山（在今山东济南历城东北）绕了好几圈。

晋国大夫韩厥梦见他父亲对他说："早晨要避开兵车左右两侧。"所以韩厥替代了驾车的御，自己在中间驾车去追赶齐顷公。邴夏说："射那个御者，那个御者像个君子人。"齐顷公说："称他是君子，而又射杀他，不合于礼法。"于是射他车左，车左掉到车下；又射他的车右，车右死在车中。晋国大夫綦毋（qí wú）张丧失了他的兵车，追赶着韩厥说："请许我搭您的兵车。"綦毋张想跟在左右，韩厥用手肘去碰他，使他站在自己的后面。韩厥俯下身放稳原在右边被射倒的人。

逢丑父知道齐顷公可能被擒，所以和齐顷公互换位子。齐顷公的兵车快到华不注山下的华泉时，在外侧的一匹马被树木绊住了——前一天晚上，逢丑父睡在棚车里，有一条蛇从下面跑出来，他就用手臂去打蛇，结果手臂受伤，但是逢丑父把伤给隐瞒起来，所以后来不能用手推车——结果给晋国军队追到了。韩厥执着绊马绳站在齐顷公之前，行了个先拜然后稽首的礼，捧着觞（觞是一种盛酒器）和璧（璧是玉环）去奉献，并且用一套委婉的外交辞令说道："我们的国君派我们群臣为鲁、卫两国请命说'不要让我们晋国的军队进入贵国的国境'。我这个下臣（在春秋时代下臣是人臣对于别国国君的自谦之辞）真不幸，正巧遇上了贵国的军队，没有办法逃走，没地方可让我藏起来，而且怕因为逃走躲避会给两国国君带来耻辱，我这个人充当战士，真是羞辱了战士。我冒昧地向您禀告，我不是个聪明人，不会办事，而且我们又人才缺乏，找不到人商量，一切事情都得我一人承担，为了要履行职责，所以要带你一道到晋国去。”由于逢丑父已和齐顷公换了位置而假冒了齐顷公，逢丑父命令齐顷公到华泉去取水来喝；就乘取水的时刻，齐国臣子郑周父驾着副车，宛茷（fèi）为车右，载着齐顷公脱险了。韩厥把逢丑父献给郤克，郤克准备把逢丑父给杀了，逢丑父叫道：“到目前为止，还没有人能替代自己国君患难的，假如现在有了一个了，他将要被杀掉吗？”郤克想了想说：“有人不怕自己身死而解救了他的国君；我把这种人杀了是不吉祥的事。赦免做这种事的人，来鼓励忠心为国君谋事的人。”因而，赦免了逢丑父。

齐顷公免难之后，三次冲入晋军，三次杀出重围，寻找逢丑父的下落。每当杀出重围之后，必整顿队伍，鼓励那些溃败的队伍。齐顷公带人冲入晋国带来的狄人的队伍，狄人的兵士拿出盾牌来遮拦。顷公带领齐军又冲入卫国的队伍，卫国人不敢伤害他们。于是从徐关（在今山东省临淄西）进入齐国。顷公看见齐国把守各个城邑的人说道：“好好守关吧！我们齐国的军队溃败了！”齐顷公的队伍叫一位在路上的女子让路，女子问道：“我们国君幸免于难了吗？”回答说：“我们的国君幸免于难了。”又问：“管理兵器的司徒幸免于难了吗？”回答道：“幸免于难了。”女子又说道：“假如我们国君和我的父亲都没出事，还要怎么样呢？”于是就跑走了。顷公认为那女子先问国君，而后问父亲，懂得礼节，然后问在身旁的人，才知道她是壁司徒（主管军中营垒的官）的妻子，于是把石窌（liù，在今山东省长清县东南三十里石窝村）的地方封给她。

晋国军队在后追踪齐国军队，从丘舆（在今山东青州界）进入齐国，攻打马陉（在今山东省青州西南）。齐顷公差大夫国佐到晋军，以古纪国的甗（yǎn）、玉磬和土地求和。如果晋军仍不肯退兵，那只有任凭他们吧！国佐去送贿赂，晋军不肯答应齐顷公的求和条件，而提出条件说："一定要齐国国君的母亲萧同叔子作为人质，同时，齐国国境内的田地的田陇全数都要改成东西走向，以便日后晋国的兵车入齐国国境容易通行。"国佐回答道："萧同叔子不是别人，正是我们齐国国君的母亲；若晋国与齐国是平等的，她也相当于晋国国君的母亲。诸位大夫要是在诸侯各国之中伸张正义，却认为以齐国国君的母亲做人质，才靠得住，那么你们把周天子置于什么样的地位。这是以不孝的代价，推使命令。《诗经》上说：'孝子的孝心没有穷尽，他永远把孝心传染给同类。'若以不孝命令诸侯，那不就成了不守道德的同类吗？先王治理天下土地的时候，按照不同的土地性质，来分布它所生产的作物，以获得应得的利益；所以《诗经》上说：'我们的疆土，我们来治理，我们的田地，田陇东南迤。'如今你们治理诸侯的土地，却要田陇全数向东西走向；你们只顾你们兵车行动的方便，而全不顾适不适合土地的性质，那不是否定了先王的遗命了吗？反逆先王的制度就是不义，那怎么能做盟主呢？这样一来，晋国就有过失了。禹、汤、周文王、周武王，四王所以能够推行王政，就是树立功德，满足诸侯的共同欲望；夏的昆吾、商的大彭、豕韦、周的齐桓公、晋文公，这五位霸主所以能推行霸政，就是能够不辞辛劳，安抚其他的诸侯，为天子奔走服役。如今你们求合并诸侯，以满足没有止境的欲望。《诗经》上说：‘施行政事，和缓宽大，千百福气，全来聚集。’你们实在不够宽大，自己抛弃各种的福禄，这对诸侯又有什么祸害呢？要是你们不答应求和，我们国君已经吩咐过使者这番话：‘由于你们带领晋国君主的军队来侵略我们领土，我们也不顾少量疲敝的士卒，来跟你们晋军作战，只因畏惧你们的威势，我们齐军已经挫败了。蒙你们为齐国求福，不消灭齐国的国家，继续过去的友谊，因此我们不敢爱惜齐国先君的宝器、土地，奉献给你们作为求和的表示。但是，你们却不同意。如此，我们只好收集齐国残余的军队，背城一战，决定齐国的生死存亡。我们要是侥幸得胜，也不过和你们求和；何况不幸失败了，那还不是唯命是听！’”

鲁、卫两国劝郤克说：“齐国怨恨我们，在这次战役中死亡的，都是齐侯最亲近的人。您若是不许齐国人讲和，齐国一定更怨恨我们。您究竟是求什么呢？您得到齐国的国宝，我们得到失地，而解救了我们的国难，这是多么光彩的事情。齐、晋都是天命所归的强国，哪里只有晋国是唯一强国。”于是，晋人同意和齐国讲和，对齐国说：“是应鲁、卫两国的请求，我们晋国群臣才带领兵车和士卒前来援救，如果我们能够有说辞回复晋君的使命，这是你们齐国国君的恩惠。哪敢不唯命是听呢？”

鲁国大夫禽郑自鲁军去迎接鲁成公。

秋，七月，晋军和齐国大夫国佐在袁娄（在今山东省淄川境内）结盟，晋国并让齐国把侵占鲁国的汶阳（在今山东省泰安西南）田地归还鲁国。鲁成公在上鄍（míng，在今山东省阳谷县内）和晋军会面，赐给郤克、士燮、栾书三位统帅上卿的正车和上卿的礼服，赐给司马（主管甲兵的大夫）、司空（主管营垒的大夫）、舆帅（主管兵车的大夫）、候正（主管巡逻哨兵的大夫）、亚旅（没有专职，可支援任何军事上的需要）大夫的礼服。

晋国军队回国，上军佐士燮最后进城。士燮的父亲士会说：“你难道不知道我盼望你早些回来吗？”士燮回答说：“军队打胜仗回国，国人一定很高兴迎接凯旋的军队。先进城的人，一定会惹人注意，这样做就会代统帅受功勋！所以我不敢。”士会说：“我这才知你的谦逊行为，可以让我们家庭免除灾祸。”

郤克朝见晋景公，景公问道：“这次胜利是由于你的力量吧！”郤克回答说：“这是我主的训示和诸大夫的力量，愚臣哪出了什么力量！”士燮朝见景公，景公同样地问士燮，士燮答道：“我只是听从荀庚的吩咐，服从郤克的节制而已，愚臣哪出了什么力量！”栾书朝见景公，景公也同样地问他，栾书回答说：“由于士燮的指挥，将士的用命，我哪有什么贡献！”

楚国送晋国的荀罃回国

成公三年（公元前 588 年）

晋国送回晋、楚邲之战被俘的楚公子谷臣和连尹襄老的尸体，去索求晋国大臣荀罃。在这时候荀首做了晋国的中军佐，荀首不但有能力，而且是荀罃的父亲，所以楚国答应了晋国人的请求。

楚共王送荀罃回国时说道："你怨恨我吗？"荀罃答道："两国整军修武，我没才能，不能承担起我的职责，所以战败，成了俘虏。贵国当家管事的人没把我杀了，用我的血去涂钟鼓，却放我回晋国接受侮辱。这就是您君的恩惠。下臣实在没有才能，还敢怨谁呢？"楚共王又说："既然如此，那么你感激我吗？"荀罃答道："你我两国都为自己的国家打算，寻求纾解人民的痛苦，各自都抑止一时的怨恨与怒气，而互相原谅，双方都释放了俘虏，来达成友好的关系。晋、楚两国共缔友好，下臣没有参与其事，我又能感激谁呢？"楚共王再说："你归国之后，怎么报答我呢？"荀罃回答："我没什么可恨您的，您也没有什么值得我感激的，既无怨也无恩，不知道该报答什么？”楚共王说：“虽然这样，也一定得告诉我怎么报答我。”荀罃回答道：“托您的福，我这个俘虏能够把这副骨头带回晋国，我的国君把我杀掉，我这样死了将会不朽。如果，托您的福，我的国君没把我杀掉，而把我赐给我国大臣荀首，荀首向我的国君请求，在宗庙把我给杀了，我这也是死得不朽，死得光荣。假如我的国君不准我父亲这样做，而使我承继祖宗的职位，按资格担当军事职务，而率领军队保卫边疆，虽然是遇到您，我也不敢躲避，我将竭尽我的力量，贡献出我的生命，而不存其他想法，来尽到作为人臣所应尽的义务，忠于晋国国君即是忠于楚国国君，我用这种方式来报答您。”于是楚共王说道：“不可以和晋国相争了。”之后，很隆重地给荀罃举行典礼，送他回国。

夏　姬

宣公九年（公元前 600 年）

陈灵公与大夫公孙宁、仪行父和夏姬私通，他们三人把夏姬的亵衣穿在自己的衣服里头，在朝廷上以亵衣为题互相开玩笑。陈国大夫泄冶谏陈灵公说："国君和卿大夫是人民的楷模，如今公然宣扬淫荡的事情，人民就没有楷模可以取法。况且，这种事情传到外国也不好听，请您把亵衣收藏起来，不要再穿在身上。"陈灵公说："是的，我一定改。"陈灵公把这件事情告诉了公孙宁和仪行父二人，他们两人请求灵公允许把泄冶杀了，陈灵公既不怂恿他俩，也不禁止他俩，于是他俩就杀了泄冶。

孔子讥讽地批评说："《诗经》上说'邪辟的时代，不可多管事'，大概是指泄冶这种情况而说的吧！"

宣公十年（公元前 599 年）

宣公十年，陈灵公和公孙宁、仪行三人在夏姬家喝酒。陈灵公对仪行父说：“夏徵舒（夏姬的儿子）长得像你。”仪行父说：“我看夏徵舒长得也像您。”夏徵舒听到这些侮辱，很恨他们。陈灵公走出厅堂，夏徵舒从马厩放箭射杀了陈灵公。公孙宁、仪行父就逃亡到楚国去了。

宣公十一年（公元前 598 年）

宣公十一年冬，楚庄王因陈国的夏徵舒弑君，所以出兵讨伐陈国，并告诉陈国人民不要吃惊害怕，楚军是来讨伐夏徵舒的。于是楚国进入陈国，杀了夏徵舒，并在陈国都城（在今河南省淮阳）的栗门把夏徵舒车裂了。因此楚国灭亡了陈国，把陈国改成楚国的一县。陈成公逃亡至晋国。

楚大夫申叔时出使齐国，返回楚国，向楚庄王报告了任务之后，就退朝了。楚庄王派人去责问他说：“夏徵舒不守臣道，弑杀了君主。寡人和诸侯一起去征讨他，把他杀了。诸侯、县大夫皆来祝贺寡人，只有你一人不对寡人道贺，是什么原因？”申叔时说：“能让我讲话吗？”楚庄王说：“当然可以，你说吧！”申叔时说：“夏徵舒弑杀了他的国君，这种大逆不道，罪是很大的。我主去征讨他而杀掉他，这是我主的义行，我主的义举。但有人说这么一个故事：‘一个人牵了一条牛踏过另外一个人的田地；另一个人就抢下那个人的牛。牵牛去踩踏别人的田地，确实有罪，这一点也不假。但是夺下人家的牛，这种处罚就太重了一点。’诸侯各国响应我主，是因为我主说：‘要征讨有罪的人。’如今把陈国吞并，成为楚国的一县，这是贪图陈国的财富。我们用讨伐陈国之乱的名义号召诸侯兴兵跟从我们，结果，我们却因贪图财富使各个诸侯班师回国，只怕不可以这样吧！”楚庄王说：“你说得太有道理了！我从前没听过这样的道理。我们把陈国再交回去，可以吗？”申叔时说：“当然可以。我们好比是群小人，我们这么做，就等于说从人家怀里扒出东西来，然后再送还人家，但这总比不还人家好得多。”于是重新分封陈国。从陈国每一个乡带回一个人，把这些人安置在一个地方，就命名这个地方叫夏州（在今湖北省汉阳北）。

所以《春秋》上写着：“楚人入陈，纳公孙宁、仪行父于陈。”这样记载，是说楚庄王很守礼法。

成公二年（公元前589年）

在鲁宣公十一年，楚国讨伐陈国之乱时，楚庄王就有心收留夏姬，屈巫说：“不可这么做。我主号召诸侯征讨有罪的夏徵舒，如今却要收留夏姬，而贪婪夏姬的美色。贪婪美色算得上是淫，淫就会招致大法处罚的。《周书》说：‘明德，慎罚。’这是周文王能够缔造周朝的原因。明德就是说要致力于累积德行，慎罚就是说要致力于去掉刑罚。如果招致诸侯兴兵，来处罚楚国，这不合慎罚之道。您要好好想一想。”楚庄王于是打消收留夏姬的念头。

楚国大夫子反也想娶夏姬，屈巫说：“夏姬是个不祥的女人。她的哥哥郑灵公被弑，没留后，使他绝了后；她的丈夫御叔早死；陈灵公因她的关系被杀；她的儿子夏徵舒也是被杀死的；公孙宁和仪行父两人也因她逃亡国外；陈国因她灭亡。还有比她更不祥的女人吗？人活在这个世界上不容易，难道想找死不成？天下漂亮的女人多得很，为什么一定要娶夏姬？”于是，子反也就不再想娶夏姬了。

楚庄王就把夏姬配给了连尹襄老。襄老在鲁宣公十二年（公元前 597 年）在楚国与晋国的邲之战中战死，而没有找到他的尸体。襄老的儿子黑要和夏姬通奸。屈巫使人转告夏姬说：“你先回到郑国，然后我下聘礼，正式娶你为妻。”又联络郑国，要求郑国召回夏姬，并对夏姬说：“襄老的尸体可以得到，但一定要你自己来迎取才行。”夏姬把这件事情告诉了楚庄王，庄王就拿这件事情去问屈巫，屈巫回答说：“这件事可相信。荀罃的父亲荀首是晋成公所宠信的人，又是中军将荀林父的小弟弟；最近荀首又代士燮为中军佐；荀首与郑大夫皇戌有交情，他又很爱荀罃这个小孩。晋人一定会找郑人交还公子谷臣，和连尹襄老的尸体，来求我们交还在邲之战俘虏的荀罃。邲之战是因我们围郑，晋人救郑，而和我们发生的战争，结果晋人战败，郑国很为这件事苦恼，怕得罪晋国，正想找机会讨好晋国，如果晋国找他们做事，郑国一定会答应做中间人的。”楚庄王遣送夏姬回到郑国。夏姬在离开楚国之前，她对送行的人说：“我要是得不着襄老的尸体，我是不会再回来的。”屈巫却暗中把娶夏姬的聘礼送到郑国，郑襄公竟然答应了屈巫。

等到楚共王即位（按楚共王即位在鲁成公元年，公元前590年），准备与鲁国在阳桥（在今山东省泰安县西南）的战争，派遣屈巫出使齐国，告诉齐国出兵的日期。屈巫把所有的家产全都带了上路，申叔跪跟他的父亲申叔时正往郢都去，在路上遇到了屈巫，申叔跪说：“奇怪啊！您怎么一方面现出战战兢兢非常沉重的脸色，像是身负军事重任似的；一方面却喜上眉梢，像去赴女朋友约会似的。该是准备偷偷带着妻子逃跑吧？”

屈巫到达郑国行过朝聘礼之后，要他的副使代替他把郑国送给楚国的礼品带回去，他自己带夏姬离开郑国。屈巫本打算逃到齐国去，由于齐国刚刚在鞍地与晋国作战失败（按齐、晋鞍之战在鲁成公二年，见前），他说：“我不居住在作战不能打胜仗的国家。”于是，屈巫逃到晋国，靠着郤至的关系，做了晋国的官吏，晋国派他做邢地（在今河南省温县东）大夫。

子反得到这消息，十分愤怒，请求楚共王用厚重的礼品送到晋国，去堵塞屈巫做官的路子。共王说：“不可如此。他要是只替自己打算，那就太不对了。他要是为我们先君打算，那还会忠于我们的国家。他要能忠，我们国家就能安定了，他的功劳可以掩盖他很多过失。况且，他对于晋国如果有利，我们虽然送厚重的礼品，晋国会答应我们去杜绝他的仕途吗？如果他对于晋国没有用处的话，晋国人就会抛弃他的。我们又何必多此一举，去杜绝他的仕途呢？”

成公七年（公元前584年）

鲁宣公十四年（公元前595年）楚国围攻宋国，撤兵回国之后，楚国的公子婴齐请求把申和吕（申在今河南省南阳县北，吕在今河南省南阳县西）两个地方赏赐给他，楚庄王答应了他的请求。屈巫出来阻止说：“不可以这么做。申和吕两地方所以成直辖中央的城邑，是要申、吕提供军费来防卫北方的边疆。如果把申、吕拿下作为赏田，申、吕就不存在，军费也无法提供，晋、郑等北方国家可以直达汉水流域，我们的郢都（在今湖北省江陵）岌岌可危了。”于是楚庄王又取消了以前的承诺。公子婴齐为这件事对屈巫怀恨在心。子反原要娶夏姬为妻，被屈巫劝止了，但屈巫本人却娶走了夏姬，逃亡在外，所以子反也对屈巫恨之入骨。到楚共王即位后，公子婴齐、子反杀掉了屈巫家族的子阎、子荡、清尹弗忌和连尹襄老的儿子黑要，并且分了他们的家财。公子婴齐拿了子阎的家财，让沈尹和王子罢分了子荡的家财，子反取了黑要和清尹的家财。屈巫从晋国写给公子婴齐和子反一封信，说："你们两人靠着说人坏话、拍马屁、贪污舞弊、心狠手辣起家，为楚王做事，残杀了很多无罪的人。我一定要使你们疲于奔命地死掉。"

后来，屈巫要求晋国派他出使吴国，晋景公答应了他的请求。吴王寿梦很高兴晋国派人出使吴国，这使吴国能和晋国往来。屈巫率领一百人的队伍前往吴国，这一百人是这样编制的：一百人称为一卒，一卒有四个两，每两二十五人。当屈巫离开吴国的时候，他留下二十五人组成的一两的队伍，和他的弓箭手和驾车的。这些留在吴国的晋国军人，教导吴国人驾车、射箭、布置作战的阵式等等作战的技术和方法。并教导吴国人反叛楚国。屈巫并把他的儿子屈狐庸留在吴国，让屈狐庸做吴国的行人（行人即今日外交官）。

从此以后，吴国开始攻打楚国、巢国（在今安徽省巢县东北）、徐国（在今安徽省泗县北）。公子婴齐就疲于奔命地抵抗吴军。鲁成公七年秋天，楚国由公子婴齐率兵攻伐郑国。八月楚国正和晋、齐、宋、鲁、卫、曹（在今山东省定陶）、莒（在今山东省莒县）、邾（在今山东省邹县）、杞（在今山东省安丘市）等国在马陵（在今河北省大名）盟会的时候，吴国的军队进入州来（在今安徽省凤台），公子婴齐从郑国拼命赶回防卫吴国。公子婴齐、子反于是在一年之间，这样拼命跑了七趟。一些原来归属楚国的蛮夷小国，全被吴国并吞了。从这之后，吴国慢慢壮大，也才和文化水平高的中原诸侯国有了往来。

晋国归还楚国钟仪

成公九年（公元前582年）

晋景公视察兵器库时，看见钟仪问道：“戴着南方帽子的囚犯是谁？”狱卒回答说：“郑国人献来的楚囚。”景公命人解开钟仪的枷锁，并把钟仪召来，安慰一番，钟仪再三作揖叩头致谢。景公问他的宗族，他回答：“世代是楚国乐官。”问他：“能演奏乐器吗？”回答说：“这是先父的职业，我怎敢从事其他的行业！”景公命人给他一把琴，他奏起南方音乐。景公问他：“你们的国王怎样？”他回答说：“这不是我所能知道的。”景公再三勉强地问，他回答说：“我们君主，在太子时代，虽然有师保来侍奉他，但他尊卿敬老，早晨去看望令尹公子婴齐，晚上去看望司马侧（即子反）。其他的事情我就不知道了。”

景公把这件事情告诉士燮，士燮说：“钟仪是位君子。说出祖先的职官是不背本。演奏故乡音乐是不忘旧。称太子是舍去现在只说过去，是无私心。叫出楚国二卿的名是尊君。不背本是仁；

不忘旧是信；无私心是忠；能尊君是敏；敏能通达事理。如果能用仁承接一件任务，用信护守一件任务，用忠完成一件任务，用敏执行一件任务，即使再大的任务也一定能够完成。我主何不送他回楚，要他完成晋楚和平相处的任务呢？”

景公听从士燮建议，为钟仪准备一份厚礼，送他回国，交给他晋向楚要求和平相处的任务。

病入膏肓

成公十年（公元前 581 年）

晋景公梦见大鬼，披着及地的长发，一边用拳头捶胸，一边不停地在跳，口中不断地嚷道："你不该枉杀我的孙子赵同、赵括，你不该枉杀我的孙子赵同、赵括。我已向上帝请示过了，上帝已经允许我来报仇了！"大鬼打坏了宫门和寝门，直走进来。景公感到非常恐怖，就逃进内室之中，大鬼又破窗而入。于是把景公给吓醒了，景公起身后差人把桑田（在今河南省灵宝西）地方的巫师找来，想问一问这梦的吉凶。巫师说的如同景公梦的一样。景公问道："这个梦究竟是吉，还是凶呢？"巫师答道："您大概来不及尝今年收成的新麦了。"

景公从此就害病了，于是向秦国求医。秦桓公派遣名医医缓为景公治病。医缓还没有到晋国，景公梦见他的疾病变成了两个小人。这两个小人说："医缓是个好医生，我们怕他会伤害我们，我们究竟该逃到什么地方才安全呢？"其中一个小人说："我们要是躲在肓（huāng，即胸腹之间的横膈膜）的上头，膏（在心脏的下面）的下头，我看他对我们是没什么办法的！”医缓来到，替景公看过病之后，对景公说：“您的病是没法医了！您的病根是在肓的上头和膏的下头，用灸法攻治是不可能的，用针法却又刺不到，吃药但药力又达不到。是没办法医了！”景公称赞他说：“医缓真是一位好医生。”给他一份厚礼，而送他回秦国去了。

六月七日，晋景公想吃刚收成的新麦，命令甸人（管理田地的官）献上新麦，馈人（为诸侯做饭的厨子）拿新麦去煮。然后，把桑田巫师召来，晋景公把煮好的新麦让桑田巫师看，然后把巫师杀了，认为巫师胡说八道，说他吃不到今年的新麦。

晋景公正准备吃的时候，感到肚子发胀，就上厕所，不知怎么搞的掉入粪坑而糊里糊涂地死了。当天有一个小臣在早晨梦见他背着景公登天去了；到中午，他背着景公上厕所。结果就用这个小臣殉葬。

吕相绝秦

成公十一年（公元前580年）

鲁成公十一年，为了维持和平，秦、晋两国的国君约定在令狐（在今山西省猗氏）开会。晋厉公在会期之前就到了会场；秦桓公却不肯渡黄河前来相会，他在王城（在今陕西省朝邑东）停下来了，派遣大夫史颗和晋厉公在黄河东边的令狐誓盟订约。晋厉公也派遣大夫郤犨和秦桓公在黄河西边的王城誓盟订约。晋国大夫士燮说："这种盟约有什么用处？起盟誓就为履行信用。准时参加盟约，是信用的开始。一开始就不赴会，哪能履行什么承诺？"秦桓公回国之后，就违背了与晋国的盟约。后来秦又召狄与楚，打算引导他们伐晋。

成公十三年（公元前578年）

鲁成公十三年，夏天，四月五日，晋厉公派遣吕相出使秦国，要和秦国绝交，吕相对秦桓公说：

“自从我们晋献公和秦穆公是好友以来，共同努力，用盟誓来约束，又以互通婚姻来加强彼此的关系。上天降祸晋国，晋国发生内乱，文公跑到齐国，惠公跑到秦国。不幸献公去世，秦穆公能不忘过去的友谊，使得我们惠公能够承嗣大统，登上君位；却不能功德更满圆，秦、晋两国在韩（在今陕西省韩城）打了一场仗；结果，惠公为秦国所擒，秦穆公也为这事表示遗憾。后来文公所以能安定君位，全仗秦穆公的帮助。

“我们文公亲自穿戴着甲胄，跋涉高山大河，越逾艰难险阻，率领东方各国的诸侯，虞、夏、商、周的子孙，前往秦国朝拜（林尧叟说：当时或有小国诸侯前往朝秦，而未必皆由晋文公之力，这是夸大其辞的说法），则已经报答了秦国过去的恩惠了。郑国侵犯你们秦国的边疆（按，这是吕相诬枉秦国的说辞），我文公率领诸侯及秦国的军队围郑。秦国大夫不肯同我们文公商量，而擅自和郑国订立盟约。诸侯各国对于秦国的做法深恶痛绝，准备同秦国拼命（按，当时秦、郑结盟，对于晋国不利，但也不至引起其他诸侯国与秦国拼命，这也是外交辞令，也是夸大和扭曲事实的说法）。我们文公感到惶恐，安抚了诸侯各国，使秦国军队能全师返回秦国，没有受到损伤。这是晋国对秦国莫大的恩惠。

“不幸文公去世，秦穆公却不前来吊问，这是瞧不起我们死去的文公。看轻我们的新君襄公，而侵略我们晋国的殽（在今河南省洛宁北。按：鲁僖公三十三年，秦国路过晋国而讨伐郑，并没侵略晋国的殽，这也是诬枉的说法）；秦国同时拒绝和我们晋国友好，攻伐我们晋国的城邑，消灭了滑国的费城（在今河南省偃师县附近），离散了我们和滑、郑等国的兄弟关系，扰乱了滑、郑等国的同盟关系，倾覆了我们的国家。我们的襄公虽然没有忘记秦国过去接纳文公的恩惠，但恐惧国家倾覆，所以跟你们秦国在殽大战一场。我君襄公还是希望秦穆公能赦免晋国的罪愆，但秦穆公不答应，立刻找楚国共同来算计我们。上天是有眼睛的，楚成王一命归天，穆公因而不能称心如愿，不能对我们有任何行动。

“秦穆公、晋襄公去世之后，秦康公、晋灵公即位。康公的母亲是晋献公的女儿，所以他是我们的外甥，又想削弱我们的公室（公室是诸侯的家族），倾覆我们的国家。支使了我们公室中的害群之马公子雍来扰乱我们的边疆（按：吕相在此指公子雍为内奸，而说秦康公有意倾覆晋国，全是片面之词，不可信）。于是我们晋国又与秦国在令狐大战一场。康公还是不肯悔改，侵入河曲（在今山西省永济县东南），攻伐我们的涑川（河水名，发源于山西省闻喜县），劫掠我们的王官（在今山西省猗氏），翦灭我们羁马（在今山西省永济南）。于是我们和秦国有河曲之战。秦国向东方出使的道路也就无法畅通，这全是因为秦康公断绝和晋国邦交的缘故。

“等到您（指秦桓公）承嗣君位，我君晋景公拉长脖子向西边看望，说道：‘如今秦国会抚恤我们晋国了吧！’您也不肯给晋国恩惠，和晋国缔结盟约；乘着我们晋国有狄人为难的时机（按：鲁宣公十五年，晋国消灭赤狄、潞氏。灭狄而说有狄人为难，也是故意歪曲事实的话），侵入我们河滨的县邑，焚烧了箕、郜（箕在今山西省蒲县东北，郜在今山西省祁县西），抢去了、损坏了我们的农作物，杀戮了我们边疆的人民。所以我们在辅氏（在今陕西省朝邑西北）聚集民众，抵抗秦军。您也对于灾祸的扩大感到后悔，而想向你们的先君献公、穆公求福，派遣伯车出使晋国，命令我君景公说：‘我和你同盟结好，丢开仇恨，再恢复过去的友谊，追念先人的功业。’言誓还没有敲定，盟约还没有缔结，景公就去世了。我新君（晋厉公）因而准备和您在令狐会盟，您却又萌生不善之心，背弃了约定。白狄和你们同居住在雍州（约当今陕、甘、宁夏境内），是你们的仇人，而与我们有婚姻关系。您来赐命说：‘我们共同讨伐狄人。’我新君因为畏惧您的威严，顾不了狄人与我们有婚姻的关系，接受了您使者的命令。您却玩弄两面手法，反而对狄人说：‘晋国将要讨伐你们。’狄人表面上回应了你们的话，实际上却非常厌恶你们，把这事原原本本告诉了我们晋国。楚国人也厌恶你们三心二意，反复无常，也来告诉我们说：‘秦国人背弃令狐之盟，却跑来和我们结盟，明白告诉上天、秦国的秦穆公、康公、共公和楚国的成王、穆王、庄王，说：‘我虽然和晋国有往来，但全基于利害的关系。我是讨厌他没有诚心，所以把这事说出来，来惩戒那些不能一心一德的人。’诸侯全都听到了这些话，因此痛心疾首，都来亲近我们晋国，我现在率领诸侯来听秦国之命，求的只是和平友好。您若肯看看诸侯的面子，可怜可怜我这个人，承您的恩宠，和我们缔结盟约，那就是我个人的心愿。承蒙允许订盟，我就把诸侯安定下来，然后退去。哪敢动兵，自求祸乱？您如不肯施舍大恩，缔结盟约，我这个没有才能的人，也就无法使诸侯安静退兵了！

“我大胆地把我们的想法和盘向您托出了，好使您仔细权衡轻重利害。”

晋、楚鄢陵之战

成公十六年（公元前575年）

鲁成公十六年春天，楚共王自武城（在今河南省南阳）派遣公子成把汝水（在今河南南部）南边的田地给予郑国，要求与郑国缔盟。郑国背叛晋国，派遣公子驷与楚共王在武城结盟。

因此，晋厉公准备讨伐郑国，士燮阻止说："为了逞一时的快意，而兴师讨伐郑国，是不行的。如果诸侯全都背叛我们晋国，我们或有所戒惧，然后兴师，尚无大碍，或许可逞我们的欲望。现在只有郑国一国背叛我们，却兴师动众，我们晋国的忧患马上就来了。"栾书说："不可以在我执政的时候，而丧失诸侯。一定要讨伐郑国。"于是动员军队。栾书率领中军，士燮作中军佐，郤锜率领上军，荀偃作上军佐，韩厥率领下军，郤至为新军佐，荀罃留守，不参加战斗。

郤犫（chóu）往卫国和齐国去求救兵。栾黡（yǎn）往鲁国求救兵。鲁国的仲孙蔑说："晋国有战胜的希望。"四月十二日，晋国军队出发。

郑国人听说晋国发兵来打他们，派遣使者告诉楚国。郑国大夫姚句耳前往。楚共王派兵救郑，司马子反率领中军，令尹公子婴齐率领左军，右尹公子壬夫带领右军。

经过申城（在今河南省南阳），子反拜访楚国告老的元老申叔时，说："您看我们的军队怎么样？"申叔时回答说："德、刑、祥、义、礼、信，这六样都是作战的条件。德是用来加惠于人的，刑是用来矫正过失的，祥是用来专心地侍奉神祇的，义是用来建立共同利益的，礼是用来顺应时宜的，信是用来维持职守的。人民生活富裕，就不为非作歹，所以民德一归于正。能够推行共同利益，就须安分守己，所以事事都有节制。一切事物按照时宜去做，不会时序失调，所以就能圆满达成任务。上下能够和睦相处，行为没有失序；而各种器物用品全都备具，各人知道各人的目标，各人的原则。所以《诗经》上说：'治理民众，就要使他们知道何去何从。'因此，神就会降福，四时也不闹灾害。人民的生活富足，就能万众一心地听从命令，也没有不尽力地去服从命令；甚至牺牲生命，以补救国家的损失。这就是百战百胜的原因。如今楚国在内是抛弃了它的人民，在外是断绝了它的友邦；玷辱亵渎了斋戒盟誓，而又不信守在祭祀时对人民的承诺；违背农忙之时而大动干戈，疲弊人民而达一时之欲。人民不知道什么该做，什么不该做，在战场上前进或后退，都可能获罪。兵士对于他们开往的地方大都存有顾虑，那么，谁肯拼死牺牲。你好好做吧！我不能再看到你了。”

姚句耳先回郑国，公子騑（fēi）问他对于楚国救兵的看法，他回答说：“他们的军队行动很快，经过险要的地方，军容不整；行军太快，容易丧失斗志，军容不整则会丧失作战的阵式。一个没有斗志，又没有阵式的军队，将要怎么和人家去作战。恐怕楚国的军队没有多大的用处。”

五月，晋军渡过黄河，听说楚国军队就要到了，士燮要掉头回国，他说：“我假装躲避楚军，这样就可解除我的顾虑。与诸侯的军队交战，我没有那么大的本领；我把这件事让给有能力的人去做。我若是能够和睦群臣去侍奉君主，这样子已经很不错了。”栾书说：“不可以。”

六月，晋国与楚国的军队在鄢陵（在今河南省鄢陵）相遇，士燮不想作战，郤至说：“在韩原（今陕西省韩城），惠公战败，不能整军而归；与狄人在箕（在今山西省蒲县北）的一场战争，主帅先轸战死，不能回朝交代使命；在邲（在今河南省新郑）与楚的战争，荀林父出师即败，不能再和楚军周旋，这些都是我们晋国的耻辱。你也见到先君成败的事；今天我们躲避楚军，又给我们添加耻辱。”士会说：“我们过去的君主屡次作战，是有他的原因。秦国、狄人、齐国、楚国都是强国，不尽力与他们作战，将会削弱子孙；现在三强已经臣服我们了，与我们力量相当的，只有一个楚国。只有圣人才能够做到国内、国外，太平无事，没有忧虑。假如不是圣人，外边安定了，里边又起是非。何不暂时放过楚国，把楚国当作我们的外敌，我们因而有所戒惧的事呢？”

二十九日的早晨，楚军逼近晋军，摆出作战的阵式。晋军的官兵都有些害怕，范匄（gài）走上前来，说：“赶快把井都给填塞，把灶都给铲平，就地排出战阵；不过，前列的军队要疏散开来。晋和楚谁胜谁负只有让上天决定了！有什么好怕的呢？”士燮拿起一柄长戈把范匄赶走，说：“国家的存亡，听天由命了，毛头小子你知道个什么？”栾书说：“楚国的军队心浮气躁。我们只要固守营垒，三日之后，楚军一定撤退；等他们撤退，我们再攻击，一定能够得胜！”郤至说道：“楚国有六个空隙可钻，不可错过这六个可乘之机。一是他们的司马子反和令尹公子婴齐不和；二是楚人带领的亲兵，年纪都大了；三是郑国的军队虽排开阵式，但军容不整；四是楚国带来的蛮人军队，还没排开阵式；五是自古作战，不在晦日（每月末日）摆开阵式；六是楚军虽摆下阵式，但行列之间喧哗不止，足见纪律不严。楚、郑、蛮各军合在一起，加上没有纪律，各个只顾自己，而没有斗志，老士卒不一定就是精兵，又犯了上天的忌讳。所以我们一定能打垮他们！”

楚共王登上轈（cháo）车（一种高的兵车，车上有眺望台，可以观察敌人）去眺望晋军。公子婴齐派太宰伯州犁在楚共王的左右服侍。楚共王说：“晋国营垒之中，有人左右跑来跑去，在干什么？”伯州犁说：“这是在召集各级军官。”楚共王说：“他们全都聚到中军那里去了。”伯州犁回答说：“他们在共同商议对策了。”楚共王说：“他们陈设帐幕了。”伯州犁回答说：“他们诚敬地向他们的先君卜问战争的胜负。”“他们撤除了帐幕。”伯州犁回答道：“他们就要发布命令了。”“他们现在吵得很，而且尘土飞扬。”伯州犁答道：“他们在填塞水井，铲平炉灶，准备阵式了。”“全都上了兵车，左右的人都拿了兵器下来了。”伯州犁答道：“士兵在听主帅的誓师之辞。”“他们准备打仗吗？”伯州犁答道：“现在还不清楚。”“他们上了车子，左右又下来，这是怎么一回事？”伯州犁答道：“这是他们战前向鬼神祈祷。”由于伯州犁去年因父亲伯宗被杀，才投奔楚国，所以对于晋军的事情知道得很清楚，同时也把晋国军队的情况告诉楚共王。

苗贲皇是在鲁宣公四年（公元前605年）从楚国逃奔晋国的，如今在晋厉公的左右，他把楚共王军队的情况告诉了晋厉公。大家都说：“楚王的亲兵在，而且人数众多，是很难抵挡的。”苗贲皇对晋厉公说：“楚国的精兵只有中军的王族兵而已，让我们用精兵攻击他们的左右两军，然后我们集中三军攻击楚王的军队，一定能大败他们。”晋厉公于是占卦卜筮。史官说：“吉。占到一个，复卦，卦辞说：‘南方的国家很窘迫，箭射他们的大王，能够射中他的眼睛。’国家窘迫，大王受伤，那不是战败，那还会是什么呢？”厉公听了史官的话。

晋军前进的途中遇到一个大泥坑，晋军都从两旁绕行，避开泥坑。郤毅为晋厉公驾兵车，栾针为厉公的车右。彭名为楚共王驾兵车，潘党为车右；石首为郑成公驾车，唐苟为车右。栾氏、范氏两族人的军队，两面夹辅晋厉公的军队，排出了阵式，结果陷在泥坑里了。栾书想用他的车来载晋厉公，栾针说："栾书，你退下！国家的大责任，你怎可一手包办？况且，侵夺别人的职权，是冒犯别人的行为；擅离自己的职守，是怠慢了分内的责任；远离自己的部下，也是犯错误的了。这会造成三种罪过！不可以犯的。"于是把厉公的车轮举起，推出泥坑。

二十八日，潘党和养由基用箭射堆积的甲衣。潘党和养由基一箭可以射穿七层甲衣。他们把射穿的甲衣拿给楚共王去看，并说："我主有我们这种臣子，出兵打仗，有什么好顾虑的？"共王一听，大怒，说："为将之人，只会射箭，没有谋略，真是国家的耻辱。恐怕你们明天早晨就会死在射箭的技术上。"

魏錡做了一个怪梦，梦见他射月亮，射中了，退下来，却走入泥淖中。于是魏錡去占一卦。占卦的人说："姬姓是太阳，其他的姓是月亮；月亮一定指楚王而言。射中了月亮，退下来却陷入泥淖，也一定会死。"开战之后，魏錡射中楚共王的眼睛。楚共王就把养由基召过来，给他二支箭，叫他射魏錡。养由基一箭射中魏錡的脖子，魏錡伏在弓套上死了；他拿了剩余一支箭去回复楚共王的命令。

郤至三次遇见楚共王的军队，他看见楚王一定下车，脱掉盔胄，而风也似的走开（这是臣遇见君表示恭敬的行为）。楚共王差遣尹襄赠送他一张弓，并说："在战事紧张的时候，有一位穿着红色熟皮制的军服并打绑腿的人，真是一位正人君子，看见了我就赶快离开，不知他受伤了没有？"郤至会见来客，脱掉盔胄而接受命令说："我郤至是楚君的外邦之臣，跟从我们国君参与这次战争。托楚君的福，赐给我一张大弓，由于我现在穿着甲胄不便拜谢楚君之赐，对于楚君之命是有所不敬，这使我非常不安。因为战事的缘故，让我以作揖来答谢使者！"向使者作揖三次，便退下去。

晋军的下军统帅韩厥追赶郑成公，驾车的杜溷（hùn）罗对韩厥说："赶快追上去，郑君的御者频频回头看，不专心驾马，可以追得上。"韩厥说："不可以再辱国君。"于是，停下不追了。晋军的新军佐又追郑成公，他的车右茀翰胡说："用轻兵阻挡郑君的车，我就能登上郑君的车，而把他俘虏回来。"郤至说："伤害了国君会受到处罚的。"也停了下来。为郑成公驾车的石首说："卫懿公因为没有取下旗子，所以在荧泽（在今河南省黄河北岸）附近战败。"于是把旗帜装进弓袋内。郑成公的车右唐苟对石首说："你留在我主的身旁吧！因为一旦溃败，我能力不及你，你就带着我主逃走。让我留后抵挡吧！"后来，唐苟战死。

楚军被逼于险地。楚国勇士叔山冉对养由基说："虽然我们国君有命令，不允许你射箭，但为了国家的缘故，你一定得射！"于是就放箭射敌，箭不虚发，所射尽死。叔山冉捉住晋兵，然后向晋军扔去，投到了兵车，把车轼撞断了。于是晋军停止前进，而俘虏了楚国公子茷（fá）。

晋厉公的车右栾针看到楚国左军将公子婴齐的旗帜，他向晋厉公请求说道："楚人说那个旗帜是公子婴齐的旗帜，那公子婴齐一定在里头。前些时候臣曾出使楚国，当时公子婴齐问起晋国军队作战有多勇敢，臣曾回答说：‘晋国军队总是保持军容整齐，不因战事紧急而散乱。’又问道：‘除此之外，还有什么特殊的地方？’臣曾回答道：‘行军作战，一直能够从容不迫。’如今两国交兵，不互派外交官，不可以说‘整’。事情临头，不能兑现过去的承诺，不可以说是‘暇’。请你让我持酒前往楚军，请公子婴齐歆酒。”晋厉公同意了他的办法。使行人（相当今日的外交官）拿着食物和酒，去拜访公子婴齐，说：“我晋国君主缺乏差使的人，因而任命栾针为持矛的车右，随侍左右，因此他不能前来犒赏您及您的军队，所以差使我持酒前来犒赏。”公子婴齐说：“栾针曾在楚国和我谈过晋军在战时好整以暇，必定因此才差使你来的。这表示他没忘记他所说的话。”于是他接受了晋国行人的酒。他喝过酒后，送走了晋国的行人，重新击鼓备战。

从清晨开始，一直到星星出现在天空，两军作战不曾停止。子反下令各级军官：“清点受伤的军士，补充短缺的士兵和兵车，修补战坏的兵器和甲胄，巡视军马的状况，鸡一叫就吃饭待命，一切听从上级命令。”于是，晋军有些害怕。苗贲皇号令军中说：“检阅兵车，补充士卒，喂饱马匹，磨利兵器。整饬队伍，巩固阵地，在寝席上吃饭，再祷告求佑；准备明天再战。”然后放回俘虏的楚人，让楚军知道晋军也有准备。

楚共王听到了晋国的事情，就召司马子反共商军事。子反的小臣谷阳竖献酒给子反喝，子反喝醉了，不能来见楚共王，共王说:“上天要打败楚国!我不可以在这里坐以待毙!”便连夜逃脱了。

晋军攻入楚军的营垒之中,吃了三天楚军的粮食。士会站在战马的前面说:“国君年纪小,群臣又没才干。这是楚国落到这地步的原因。我主应该以这事情为前车之鉴。《周书》上说:‘天命是不常的。’这是说有德的人才能享有天命。”

楚军撤退,到瑕(在今湖北省随县)地时,楚共王的使者对子反如此说:“先大夫子玉全军覆没的时候,先君成王不在军中,所以责任就由子玉负担。这次战败,由于我在军中,所以你没有什么责任,罪过都在我身上。”子反再拜稽首说道:“我主赐我一死,我身虽死,名却能不朽。实在是臣所统率的军队败溃、逃跑,这是臣的罪过。”公子婴齐派遣使者这样对子反说:“当初在城濮战败的子玉的下场是怎么样?我想你也听说过吧!那你该有怎样的打算呢!”子反回公子婴齐使者的话,说:“即使没有我国先大夫子玉的事情,您既以大义相责,我怎能不义而偷生呢?”楚共王派使者阻止这件事,在楚共王的使者来到之前,子反已经自杀了。

祁奚推荐贤人

襄公三年（公元前570年）

晋国的中军尉（中军尉，官名，是中军的军尉）告老，请求退休，晋悼公向祁奚问接替中军尉职务的人，祁奚称许解狐——解狐是祁奚的仇敌。将要任命解狐的时候，解狐却死了。晋悼公又要祁奚推荐人，他说："我的儿子祁午可接替。"在这个时候中军尉佐（中军尉佐即副中军尉）羊舌职死了。晋悼公问祁奚："谁可以接替羊舌职的位子。"他回答道："羊舌职的儿子羊舌赤可接替。"于是，晋悼公任命祁午为中军尉，羊舌赤为中军尉佐来协助祁午。

君子认为祁奚既能推荐有德、又能推荐有才的贤者。认为他称赞他的仇敌，不算是谄媚；提拔他的儿子，不算是庇私；推荐他的部属，不算是结党。《商书》有句话"不偏自己的亲人，不袒护自己的同党，国家的政治才能开阔平坦"，这大概可用传说祁奚这样的事吧！解狐、祁午、羊舌赤三人都得到了任命，立一个中军尉而三件好事做成，就是由于推举得人。正因为他本人是个贤人，所以才能推荐他的同类。《诗经》上有句诗：“只因为他本身具备才德，所以才能推举像他一样有才德的人。”祁奚真是兼具才德的人。

崔杼弑杀齐庄公

襄公二十五年（公元前548年）

齐国棠邑（在今山东省棠邑县）大夫的妻子是东郭偃的姐姐棠姜。东郭偃是崔杼的家臣。棠邑大夫去世，东郭偃为崔杼驾车去吊问棠邑大夫的死；崔杼看见棠姜，觉得她非常漂亮，就让东郭偃为他把棠姜娶过来做妻子。东郭偃说：“男子娶妻，一定要分辨男女两方是不是同姓，同姓是不能结婚的。你出自齐丁公，我出自齐桓公，我们两家同姓，不能结婚的。”崔杼不管这套道理，于是去卜筮，占问可不可以结婚，结果占卜遇到由“泽☱、水☵、困䷮”的困卦，变成“泽☱、风☴、大过䷛”的大过卦。史官都异口同声地说：“吉。”崔杼把这两卦拿给陈文子看。陈文子说“‘泽、水困’的困卦变成‘泽、风、大过’卦，是‘水☵’变成了‘风☴’，风能吹落万物，做丈夫的也能被吹落，所以棠姜这个女人不可娶为妻。况且因卦六三的爻辞说：‘困于石，据于蒺藜（是一种生在海滨沙地的小草，夏天开小黄花，果实上有刺），入于其宫，不见其妻，凶。’‘困于石’是说困在大石头上，去也去不成。‘据于蒺藜’，这是说依在蒺藜上，蒺藜上有刺，为刺所伤。‘入于其宫，不见其妻，凶’，这是说回到屋子里，妻子跑了，看不见妻子。妻子跑了，家也就不成为家，没有地方安身立命，自然就是凶了。”

崔杼说：“那个寡妇对我会有什么祸害！她的前任丈夫全替我顶了。”崔杼终于把棠姜娶为妻子。

后来，齐庄公与棠姜私通，常常到崔杼的家中去。齐庄公拿崔杼的帽子赏赐给人，庄公的侍者说：“不可以拿崔子的帽子赐人。”齐庄公强词夺理说：“谁会知道这是崔杼的帽子？难道只有崔杼才有帽子？别人就没有帽子？”崔杼因这些事情对齐庄公怀恨在心。齐庄公曾在两年前乘晋国有栾盈的内乱而攻伐晋国，崔杼就利用这件事来吓唬齐国人，说：“晋国一定会找齐国报仇的。”又想杀掉齐庄公去讨好晋国，但是找不到机会。有一天，庄公因细故用鞭子把名叫贾举的仆人给抽了一顿；不久，庄公又亲幸贾举。贾举就为崔杼效力，窥伺庄公，为崔杼寻找时机。

鲁襄公二十五年夏天五月，莒国因为两年之前在且于（在今山东省莒县境内）与齐作战失败，所以莒黎比公君前来朝见齐庄公。五月十六日，齐庄公在齐国都北城飨宴莒黎比公，崔杼身为执政大夫应当陪同国君参加飨宴，但他却称说有病，而不参加飨宴。十七日，齐庄公去探望崔杼的病，想借机亲近棠姜。棠姜见庄公到来，就走入内室，而与崔杼从内室侧门走出去。庄公走入崔杼的厅堂之后，拍着梁柱唱将起来，暗示棠姜他已经到了。仆人贾举就让庄公的卫士和跟班止步，把他们留在门外，然后他自己进门而把门关上。于是，崔杼埋伏的武士出现，威胁庄公。庄公爬上高台，请求他们饶命，这些武士不答应；庄公请求和他们盟誓，他们不答应；庄公请求他们让他在宗庙之前自杀，他们还是不答应；他们共同说："国君的大臣崔杼生病了，不能够亲自听从国君的命令，我们又认不得谁是国君；况且这里和国君的宫室很近，我们尤当严防奸盗。我们这些陪臣只知道巡逻捕捉奸淫之辈，不知道还有其他的命令。"庄公想爬墙逃脱，有人就放箭。庄公的屁股中箭，就从墙上摔下来，于是那些武士一拥而上，把他杀了。在一场混战中齐庄公的八名勇士贾举、州绰、邴师、公孙敖、封具、铎父、襄伊、偻堙全都战死。祝佗父受庄公之命前往高唐（在今山东省禹城西四十里）的宗庙祭祀，他办完了差事，立刻回程复命，还没脱下祭服，就死在崔杼的手下。申蒯（kuǎi）是掌管渔业的官，退朝回家之后，对他的家宰说："你因为有妻有子，就算了吧！我将为君殉难。"他的家宰说："我要是幸免于难，这和你死君之义，背道而驰，我可不干。"于是他们两人一起赴难。崔杼又把齐庄公的母党平阴（在今山东省平阴东北三十五里）大夫鬷（zōng）蔑杀了，以除后患。

晏婴听说齐庄公有难，于是赶快跑来，他站在崔杼家的大门外。他左右的人问说："要不要为君殉难？"晏婴说："要是他以国士对待我，我就会为他殉难；他并不以国士对待我，我为什么为他殉难呢？”他们又问说：“那么你要逃亡吗？”晏婴说：“我要是有罪的话，那我该逃亡。我又没有罪，我干吗要逃亡？”他们又问：“那么，我们回家去吧！”晏婴说：“国君死了，我可以归到什么地方去呢？一个做国君的，哪里只是骑在人民的头上，颐指气使，作威作福；一个做国君的，处处要为人民、为国家着想。一个做国家的官吏的，哪里只为吃辣的、喝甜的、穿绫罗绸缎、住雕梁画栋；一个做官吏的，要关心人民的衣、食、住、行，要注意人民的风俗教化。所以一个国君为国家牺牲，那么做官吏的也就同时要为国家牺牲；一个国君为国家而逃亡他国暂时避难，那么做官吏的也就同时要为国家逃亡他国暂时避难。假如一个国君为他个人的利益或行为而死，为他个人的利益或行为而逃亡，除了他所昵爱或亲幸的人之外，其他的就不该殉难和逃亡的。况且，有人忍心杀了他自己的国君，我现在怎么可以殉难？我现在怎么可以逃亡？我现在能到什么地方去呢？”等到大门打开，晏婴就进去了，晏婴抱起庄公的尸体，放在自己的大腿上，大哭起来，然后站起来向上跳了三跳，完成哭先君死的礼节之后，方才离开崔杼的家。大家都说崔杼一定会杀了晏婴。崔杼说：“他是人民心目中所景仰的人，放了他可以赢得民心。”齐庄公的党羽蒲癸逃亡到晋国去，王何逃亡到莒国去。

鲁成公十六年（公元前 579 年），鲁国的叔孙侨如逃亡到齐国，等到叔孙回鲁国的时候，把他的女儿送给了齐灵公，叔孙的女儿得到灵公的宠爱，她所生一子就是被崔杼立为君的齐景公。

崔杼立齐景公之后，以自己为相，以庆封为左相。崔、庆两人与齐国国人在齐太公的庙前盟誓。他俩说：“要是有人不参与我们崔、庆两人一伙的……”没等他们的话说完，晏婴便打断了他们的话，仰天而长叹地说道：“我晏婴要是有不忠于国君、不利于国家的事情，有老天爷的神明在上。”说完了就歃血定盟（按：崔、庆两人原来的誓词应当是这样的：要有人不参与我们崔、庆一伙的，有老天爷的神明在上。经晏婴这么一搅和，崔、庆二人之计就不得逞。）五月二十三日齐景公率领大夫与莒黎比公定盟。

太史书写着“崔杼弑杀了他的国君”。崔杼为此把齐太史杀了。齐太史的两个弟弟一个接着一个写“崔杼弑杀了他的国君”，也一个接着一个被杀。他们的另一个弟弟又同样地写，崔杼终于饶了他的性命。南史氏听说太史全都牺牲了，于是拿着竹简前往齐国都城；走在路上，又听到这件弑杀国君的事情已经书写传下来，于是转头回去了。

向戌弭兵

襄公二十七年（公元前546年）

宋国大夫向戌与晋国的当权大夫赵武有交情，与楚国的令尹屈建也有交情；他想使诸侯各国停止战争，缔结国际和平条约，来博得声誉。于是，向戌到晋国，把他的计划告诉了赵武。赵武就和晋国大夫共同讨论向戌的国际和平计划。晋国大夫韩起说："战争是件残害老百姓的事情，同时也是消耗国家财富的害虫，和小国的大灾难。如果有人想停止国际之间的战争，虽然不一定能办得到，但是一定要答应他。假如我们不答应停止战争，楚国人一定会答应的，楚国就会以停止战争去号召诸侯，那么我国就会失掉诸侯盟主的地位。"于是，晋国答应停止战争，缔结和约。然后，向戌前往楚国，楚国也答应他停止战争的计划。然后，向戌前往齐国，齐国人却有些为难。齐国大夫陈文子说："晋国和楚国都答应了，我们怎可不答应呢？何况人家是号召停止战争，而我们却不答应；我们不答应停止战争，人民一定会背弃我们的。

我们何必要这么做呢？”齐国人也答应了。然后，向戌告诉秦国，秦国人也答应了。于是，遍告所有小国，在宋国举行会盟。

鲁襄公二十七年五月二十八日，晋国的赵武到达宋国；三十日，郑国大夫良霄到达宋国。六月初一，宋国宴请赵武，羊舌肸（xì）为副使。宋国司马把割好的肉放在盘子里，这是合于礼的。孔子曾经叫他的学生记载这一次宴会的事情，因为他们宾主之间对答的言辞丰富。初二，鲁国的叔孙豹、齐国的庆封、陈文子、卫国的石悼子来到宋国。初八，晋国的荀盈不是接受晋国国君的命令，而是接受赵武的命令来到宋国。初十，邾悼公到达。十六日，楚国的公子黑肱先到，与晋国先达成了和平条约的内容。二十一日，宋国向戌到达陈国，就教于楚国令尹屈建，和楚国先达成了和平条约的内容。二十二日，滕成公至。屈建告诉向戌，要求晋国的同盟国和楚国的同盟国，要互相轮流朝见晋国和楚国。二十四日，向戌就把屈建的意思转达给赵武，赵武说：“晋国、楚国、齐国、秦国是四个平等的大国，晋国不能支配齐国，就像楚国不能支配秦国。楚国国君假如能够使秦国国君来我们晋国朝见，我们国君怎敢不再三请求齐国国君去朝见楚国。”二十六日，向戌把赵武的话转达了屈建，屈建就派出驿车报告给楚康王。楚康王回答说：“不管齐国和秦国，别的同盟国要互相轮流朝见。”秋天七月初三，向戌从陈国回到宋国。就在这一天晚上，晋国赵武和楚国公子黑肱订好了盟誓，到时候不再争讼。初五，屈建从陈国到达宋国，陈国大夫孔奂、蔡国大夫公孙归生也同时到达。接着，曹国、许国的大夫也都来到。各国的使者，都以篱笆替代营垒，驻扎下来；晋国使者在北，楚国使者在南。晋国大夫荀盈对赵武说：“楚国方面的气氛很不好，恐怕他们会兴兵发难。”赵武说：“我们向左边一转，就能很快地进入宋国都城，他们能对我们怎么样？”

七月六日，准备在宋国都城西门之外举行盟誓，楚国人把铠甲穿在衣服里头。楚国大夫伯州犁说：“与诸侯各国的军队会合而不守信用，只怕不太好吧！那些诸侯各国仰望我们楚国，信任我们楚国，所以才会归服我们楚国。假如我们不守信用，这就是我们抛弃了诸侯相信我们的东西。”伯州犁再三请求把兵器放了，屈建说：“晋、楚两国早就不讲诚信，事情只看对我们有利，还是没利。只要能够达到我们的目的；管他是有诚信，还是没诚信？”伯州犁退下之后，告诉旁人说：“令尹快死了，看来是活不过三年。一心一意只求达到目的，而不择手段；居然不顾诚信，抛弃诚信。这样就能达到目的吗？一个人的心意用言语来表达，一个人的言语是要表示诚信的，一个人的诚信是要完成心意的，心意、言语、诚信三样具备，才能安身立命。不守诚信，怎么能活过三年！”

赵武害怕楚国人把铠甲穿在外衣里头，并把楚国人衣内藏兵刀一事告诉羊舌肸。羊舌肸说：“这有什么好怕的？就是一个普通人一旦做出不诚信的事情都不可以，一个普通人做出不守诚信的事情都没有不死的。如果与诸侯各国卿大夫会盟，做出不守诚信的事情，一定不能成功。不守诚信是害不了什么人的。这不是你要担心的。用诚信召集大家参加会盟，却不以诚信去做，一定得不到旁人的响应和帮助。怎么能害我们？况且我们可以借宋国的力量来对付我们的祸害，宋国会拼命为我们出力的。我们和宋国一起拼命，就是对抗楚国也是可以的。您又怕什么呢？退一步说，即使宋国人不拼命为我们晋国出力，但是这次是为停止战争而召集诸侯会盟，结果楚国却兴兵来害我们。我们的好处多着呢！这用不着担心。”

鲁国的季孙宿怕叔孙豹不听他的，就假借鲁襄公的命令，派人转达给叔孙豹说：“看看邾国和滕国怎么做！”不久，齐国要了邾国作为附庸国家，宋国要了滕国作为附庸国家，邾、滕两国就不参加盟会。叔孙豹说：“邾、滕两国是人家的附庸国家。我们鲁国是一个独立自立的国家，为什么要比照邾、滕两国去做呢？宋、卫两国的国力和我们鲁国差不多。”于是叔孙豹参加盟会。所以在《春秋》一书上，没有写下叔孙豹的族姓，说他违背鲁襄公命令的缘故。

在会盟那一天，晋国人和楚国人争着抢先歃血，起誓诅咒。晋国人说：“晋国一向都是诸侯的盟主，没有人能走在晋国的前面。”楚国人说：“你们说晋、楚两国是势均力敌的同等国家，如是晋国总是先歃血起誓，这表示楚国的力量就弱了。况且，晋、楚两国轮流主持诸侯会盟的事情，又不是从今天开始，老早就是这样了，哪里只由晋国把持会盟。”羊舌肸对赵武说：“诸侯归顺晋国是看在晋国的德行上，哪由于晋国主持盟会而顺归。您专心致力于修德行善，不要和楚国浪费气力争先抢后。况且，诸侯和小国会盟，一定需要一个主持会盟事务的人，楚国人为晋国办理一些琐事细务，有什么不可以的？”于是，楚国人先歃血起誓。但是，《春秋》这本书上却把晋国放在楚国前头，因为晋国诚信的缘故。

七月七日宋平公同时宴请晋国和楚国的大夫，但以晋国大夫赵武为主客。楚国令尹屈建与赵武交谈，赵武常常回不出话。赵武就使羊舌肸坐在旁边，由羊舌肸与屈建交谈，屈建也常回不出话来。

七月十日，宋平公和诸侯各国的大夫在蒙门——宋国国都的东北门——之外会盟。屈建问赵武说："士会的人品道德到底怎么样？”赵武说："士会把他家族的事情处理得井井有条；士会他个人的事情，样样都可以在晋国公开。他的祝官史官祭祀时候，在鬼神前面没有瞎话。”屈建回楚国之后，把这些话告诉了楚康王。康王说："真了不起，他能够使鬼神和人民悦服。难怪他能辅佐晋国文公、襄公、灵公、成公、景公五位晋君做诸侯盟主。”屈建又对楚康王说："晋国能成霸主是有原因的。他们有羊舌肸辅佐他们的上卿，楚国找不出人对抗羊舌肸，不可以和他们针锋相对。”不久晋国大夫荀盈到楚国，和楚国缔结盟约。

郑简公在垂陇（在今河南省荥阳东北）宴请赵武，郑国大夫子展、良霄、公孙夏、子产、游吉、印段、公孙段随从郑简公参加这次宴会。赵武说：“你们七位先生陪同贵国国君参加这次宴会，是特别礼遇我赵武。请各位各朗诵一首诗来结束贵国国君的宴会；同时，我赵武也可以看看各位的志向。”子展朗诵《草虫》一诗，赵武说：“好极了！好极了！可以做人民的主人。但我赵武是担当不起的。”良霄朗诵《鹑之贲》一诗，赵武说：“床笫之间的话过不了门槛的，何况在野外呢？这不是我这个使者所能知道的。”公孙夏朗诵《黍苗》诗的第四章，赵武说：“我们的国君还在，我怎敢承当？”子产朗诵《隰桑》，赵武说：“我赵武请求接受这首诗的最后一章。”游吉朗诵《野有蔓草》，赵武说：“这是您的恩惠。”印段朗诵《蟋蟀》一诗，赵武说：“好啊！这是保家爱乡的主人，我对你有期望。”公孙段朗诵《桑扈》一诗，赵武说：“不骄不傲，万福将到。如果能牢牢记着这句话，就是想推辞福禄，能办得到吗？”

这次飨宴过后，赵武告诉羊舌肸说：“良霄恐怕会被杀了。诗是表达一个人的心意。他把有诬蔑他君上的心意公然表现出来，在宾客面前哗众求荣。他这样能活得长吗？只怕不久就会遭杀身之祸了。”羊舌肸说：“是的。事情做得太过分了。有句俗话说：‘活不过五年。’大概就是指良霄说的吧！”赵武说：“其他六人能辅佐好几位郑君。子展是最后离开政坛的，他在上位而不忘下位的人民。其次是印段，能够享乐而不荒淫。用享乐来安定人民的，却又使人民不越分而不荒淫。能够维持长久，有什么不可以做的事呢？”

事后，宋国大夫向戌向宋平公请求赏赐，说：“我停止了战争，免除人民战死沙场，想请求赏赐。”宋平公赏给向戌六十个城邑。向戌就把这个赏赐示给司城乐喜看，乐喜说：“诸侯中的小国。惟有晋、楚等大国兵临城下的威胁，由于惧怕亡国灭家之祸，国内才会互相爱护与上下和谐。因为互相爱护与上下和谐，他们的国家才能够安定平静，才会妥善应付大国。这就是小国所以存在的原因。没有外在的威胁，就会自骄自傲，自骄自傲就会发生乱事，发生乱事就一定灭亡，这才是小国所以灭亡的原因。天生的金、木、水、火、土五材，样样有用，人民一同并用，废除一样也办不到，谁能销毁兵器，铲除战争呢？战争由来已久，战争用来威吓不行常道的国家，而昭明有文德而来的。圣人所以兴起，怙恶不悛的人所以消灭，废兴、存亡、昏明的方法，全由战争而来。而您要废止战争，不是有些自欺欺人吗？用欺骗的方法去蒙蔽诸侯各国，没有比这更大的罪过了。即使不被绳之以法，已够宽大了；而又求赏赐，简直是贪求无厌。”乐喜把赐给向戌的赏书扔掉了。于是向戌请辞赏邑，因此向戌的家族想攻打司城乐喜。向戌说：“我本来走向毁灭的道路，乐喜他救了我，对我有莫大的恩惠。哪可以去攻打他呢？”

君子说：“那个正人君子，邦国正义之声。”大概是指乐喜而言吧！“人家如何担心我，我接受他的忠告。”大概是说向戌这种情说吧！

吴季札观乐

襄公二十九年（公元前544年）

吴公子季札到鲁国去报聘，会见了叔孙豹，很喜欢他。于是，他对叔孙豹说："你大概不能寿终？因为你喜欢广结善缘，但却不知选择哪些人可以交往，哪些人不可以交往。我听说一个君子人就应该仔细选择人才。你如今是鲁国国君的同宗，又是世卿，担任了鲁国的重要职位。如果不谨慎推举人才，万一出了什么差错，你怎能够承担呢？恐怕这样引起的祸患会牵连到你。"

吴季札请求鲁国让他观赏周天子的礼乐。鲁国就使乐工为他演唱周南、召南二地乐曲。吴季札观赏之后，评论说："美极了啊！表现出奠定教化的基础了，但还没有到尽善的地步。有点杀伐之声，体现出当时的人民工作勤劳而不存怨恨的心情。"接着又演唱邶（bèi，在今河南省汤阴东南）、鄘（在今河南省新乡西南）、卫（在今河南省淇县）三地的乐曲，他评论说："美极了啊！非常悠扬深远！表现出人民虽有忧思，并无困厄绝望之感。我听说卫康叔、卫武公的品德正是这样。莫非卫国的风气也是这样吗？”又演唱王地（在今河南省洛阳西南）的乐曲，他评论说：“美极了啊！虽有忧思，但无恐惧。莫非是周王室东迁之后的作品吗？”再演唱郑（在今河南省新郑）的乐曲，他评论说：“唱得美极了！乐曲的音节烦琐细碎。郑地的人们大概忍受不了他们政令的烦琐细碎。莫非郑国会早日亡国吗？”又演唱齐地（在今山东省临淄一带）的乐曲，他评论说：“美极了啊？表现出像大风一般宏大的声音！这种声音象征着它可以做东海一带诸侯的表率，这不是姜太公建立的国家吗？这个国家的前途是未可限量的。”又为他演唱豳（bīn，在今陕西省彬县）地的乐曲，季札评论说：“美极了啊！表现得坦荡荡，而不掩饰。虽然欢乐而有节制，不是荒淫无度。莫非是周公东征的诗篇吗？”又为他演奏秦（在今陕西省兴平一带）地的乐曲。季札评论说：“这就是夏人的声调。能唱出夏人的声调就能有发展。发展到顶点，就能承受周人原来的事业。”又为季札演唱魏（在今山西省芮城一带）地的乐曲，他评道：“美极了啊！音节轻飘浮泛。体现出魏地的人民虽然曲意行事，但不失大节；虽然俭啬偏急，也非顽冥不灵。如果一个君主用德教来辅助这些人，那他一定是个英明的君主。”又为季札演唱唐（即是春秋时代的晋国）地的乐曲，他听过后，评论说：“真是忧虑得深远！莫非是陶唐氏的遗民吧？不然，怎么可能忧虑得这么深远。若不是有美德人的后裔，谁能够忧虑得这么深远！”又为季札演唱陈（在今河南省淮阳县一带）地的音乐，他说：“淫声放荡，无所畏惧，就像一个国家没有人治理似的。这种国家的国祚能长久吗？”对于郐（kuài，在今河南省密县东北）、曹（在今山东省菏泽、定陶一带）等地的乐曲就没有评论了。

又为季札演唱小雅的乐曲，他说：“美极了啊！虽然流露出忧思，却没有生背叛之心；虽然有哀怨之情，却存心仁厚，不忍心指责。是周王庭的功德衰落了，却仍有先王的遗民存在？”又为季札演唱大雅，他说：“真是开广宽阔！和美融洽！外表柔顺，内里刚劲。莫非是周文王的德行吧？”为季札演颂，他说：“美极了，美到无以复加了，刚劲而不傲慢，柔顺而不屈服，紧密而不咄咄逼人，疏远而不游离，声音多变而不令人感到过分，曲调反复而不令人厌倦，哀伤而不愁苦，欢乐而不过度。乐调丰富，用之不竭；乐调含蓄有韵味，并不完全显露；声音千变万化，不觉减少，也不见增多。听声音像似静止了，实未停止中断；听声音好像流动不止，却非泛滥无归。宫、商、角、徵、羽五音和谐，金、石、丝、竹、匏、土、革、木八种乐器协调一致，各种音调有一定的节拍，各种乐器有一定演奏秩序。这些音乐就像有盛德的人治理国家、天下一样，有节有度，有为有守。”

看过周文王的乐舞《象箾》（shuò）和《南籥》（yuè）两种舞蹈之后，季札说：“美极了！但还有缺陷。”看过周武王的乐舞《大武》后，他说：“美极了！周王廷最兴盛的时候，莫非就如此吧！”看过商汤的乐舞《韶濩》（sháo hù），他说：“圣人真是伟大，但还有缺点，可见圣人处理世变的困难。”看过夏禹的乐舞《大夏》后，他说:“美极了！勤苦为民服务，而不居功。如不是大禹，谁能做得到呢？”看过舜的《韶箾》(此处之箾读 xiāo，与《象箾》之“箾”字形同音不同）后，他说:“舜的德行，崇高极了！伟大极了！就像是天覆盖每一样东西，就像是地装载每一件物品，没有一件遗漏。虽舜的德行如同天地一样的崇高伟大，《韶箾》的舞和乐也尽善尽美，无以复加了。到这里就请停止了。即使还有其他的舞乐，我也不想再欣赏了。”

子产相郑

襄公三十年（公元前 543 年）

鲁襄公三十年，郑国罕虎把政权交与子产。子产辞谢不受说道："我们郑国土地狭小，又夹在大国中间，受大国逼迫，此外公族强大，恃宠专横，是不可以干的。"罕虎说："由我罕虎来率领这些公族听从你的命令，谁还敢侵犯你的命令！你好好为郑国当家主政。国家不怕领土小，小国若把大国应付好，国家仍有发展。"

子产在处理政事的时候，有政事要找郑大夫公孙段去处理，于是贿赂他一块土地。游吉说："郑国是我们郑国人的国家，为什么单单找公孙段办事就得贿赂他呢？"子产说："一个人没有欲望是很难的事情。我让他们满足他们的欲望，要他们为国家办事，但一定责成他们把事情办得圆满。只要事情能办成功，别人办成功了还不等于我办成功了吗？为什么舍不得那块土地呢？那块土地能跑到哪里去呢？还不是我们郑国的土地。"游吉问："那对四邻的国家怎么交代？”子产说：“这并不违反邻国的利益，而是要顺从邻国的利益，四邻的国家对我们有什么好怪罪的。郑国史书上说：‘安定国家，一定要先安定大族。’姑且先把大族安定，以观后效。”事情办成之后，公孙段心中害怕，就把土地还给了子产，子产还是把那块土地给了他。

郑大夫良霄死后，郑简公派太史任命公孙段为卿。公孙段辞谢不受，等到太史回去之后，他却请求任命他为卿。第二次任命他的时候，他又辞谢不受。前后如此三次，他才接受策命，入朝谢恩。子产因此很讨厌公孙段的为人，虽然讨厌，但怕他作乱，为了笼络他，使他居于仅次自己的位置。

子产治理郑国，使国都和边境的事务全有规章，上下尊卑各有制度，田地有疆界和沟渠，农村的房舍和水井有一定的安排。卿大夫中，那些忠贞俭朴的，子产就与他们结交；卿大夫中，那些骄奢淫逸的，就想办法把他们打倒。丰卷准备祭祀，请求子产允许他们打猎去捉捕祭祀用的野兽；子产不允，说：“只有国君在祭祀时才用新杀的野兽。其他人只要一般的祭品，就可以了。”丰卷很生气，回家招聚兵卒，准备攻打子产。子产听到这消息，准备逃奔晋国避难，罕虎劝止子产逃奔避难的打算，而去驱逐丰卷，丰卷逃奔到晋国去了。子产向郑简公请求不要没收丰卷的田地住宅。到了三年，便让丰卷回国，不但归还了田地住宅，而且连三年的收入也都给了他。

子产施政的第一年下来，众人都诽谤他，并唱道：“子产拿走我们的衣冠，把我们的衣冠储存起来了。子产拿走我们的田地，把我们的田地重新划分、安排了。哪一位要去杀子产，我一定帮助他。”等到三年之后，众人改口了，大家唱道：“我们有子弟，子产教孝悌；我们有田地，子产使生利；子产若离去，有谁能承继？”

襄公三十一年（公元前 542 年）

鲁襄公三十一年六月，鲁襄公去世的那个月，子产陪伴郑简公到晋国去。晋平公因为鲁襄公去世的缘故，没有会见郑简公和子产。子产令人把晋国招待外宾的宾馆围墙完全拆毁，然后把自己的车子拉进去。

士匄责备子产说：“我们国家因为政治刑法不够修明，盗贼充斥，免不了对于屈尊来拜会我国君主的诸侯使臣有所骚扰，所以才派遣官吏修缮外宾所住的宾馆。把宾馆的大门修得高大，把宾馆的围墙筑得坚厚，不让使节受到盗贼之忧。如今您把馆墙拆毁了，虽然您的手下会打仗，能够戒备，但其他的客人怎么办？因为我们晋国是诸侯盟主，所以才修葺垣墙，来招待宾客；假如把垣墙全都毁坏，我们怎么供应其他国家的需要呢？我们国君让我来问您拆毁垣墙的原因。”

子产回答说：“我们郑国弱小，处于大国之间。大国责求我们贡献礼物，没有一定时间，所以我们不敢过安宁的日子，把我国的财富搜索殆尽拿来朝贡，行聘问之礼。正巧遇上你们晋君没有空闲，未蒙召见。又没得到晋君的指示，不知道什么时候召见我们。因此我们既不敢把带来的礼物献出，又不敢把那些物品暴露在野外。只要把这些东西献给你们，就是晋君仓库中的财物；但是不经过外交仪式，我们是不敢献上的。要是这些物品暴露在野外，又怕雨打日晒把这些物品弄坏了，而来加重我们国家的罪过。我公孙侨听说晋文公做盟主的时候，他自己的宫室卑小，又无台榭，而用来修建高大宏伟的宾馆。宾馆的房屋，与晋君的寝宫相似，仓库马房修得整整齐齐，司空随时维护道路的路况，水泥工匠按时粉刷宾馆的房屋。诸侯使者来到的时候，负责管理薪火的甸人在庭院中安置大火把来照明，仆人经常巡视宾馆，马车都有适当地停放，并有专人替代外宾的仆人来做事，又派专人为宾客保养车辆，把油脂涂在车轴上。打杂的、管牛的、管马的各人照管各人的事；文武百官各人招待各人的宾客。晋文公对于外宾随到随见，从不耽搁外宾的时间，而误了正事。晋文公与外宾同忧同乐，发生问题则予排解，对于外宾不知道的事情，加以教导，对于用度不足的外宾，给予救助。当时，岂止没有灾害，同时不怕盗贼的迫害，也不用顾虑雨打日晒而损坏了物品。如今晋君在铜鞮（dī，在今山西省沁县南）的别宫有几里之大，而安顿诸侯住的宾馆就像是奴隶住的房子，大门容不下车子的进出，盗贼公然猖狂做坏事，对于天然灾祸全无准备，没有一定时间接见宾客使节，也不知道究竟什么时节获命召见。假如不拆毁垣墙，就没地方保藏我们带来的财货，等到那些财货损坏时，又罪加好几等。我想请问您，贵国当国管事的您到底有什么指教？虽然你们国君遇到鲁君去世；但我们郑国对于鲁君去世也是十分忧虑。如果，你们肯按照外交礼节收下我们献出的礼品，我们把垣墙修葺完毕就走，这也是你们的施惠。冒昧请您代为通报一声。”

士匄返回朝廷交差，赵武说：“子产说的真没错。这是我们不对。用像奴隶住的房子去接待诸侯，是我们的过失。”于是，差使士匄向子产谢罪。

晋平公会见郑简公，平公对于简公礼节加倍恭敬，厚加款待，增强友好关系，然后送简公回国。并立刻建造外宾的宾馆。

晋国贤大夫羊舌肸说：“语言居然有这样令人抗拒不了的力量！子产善于言辞，诸侯都沾他的光，晋国立刻修建外宾的宾馆。这样说来，他怎能放弃辩说呢？《诗经》上说：‘言辞合情，人民听从奉行；言辞合理，人民深信不移。’写这首诗的人，真是认识语言的能量。”

十二月北宫佗为卫襄公相礼到楚国去；因为要履行去年在宋国的盟誓。他们经过郑国，郑大夫印段往棐（fěi）林（在今河南省新郑东南二十五里）去慰劳他们，采用正规外交上所行的聘问之礼接待他们，并向他们致慰劳之辞。北宫佗也行聘问之礼回报郑国，郑国的公孙挥为行人，冯简子和游吉接待客人。一切事情办理完毕之后，北宫佗回去对卫襄公说：“郑国的礼数周到，他们好几代都有福可享，不会遭受大国的侵略。《诗经》说：‘谁能抓到了烫东西，而不用冷水冲一冲？’礼和政治的关系，就像是抓到烫的东西赶快用冷水冲一冲。冷水是用来解热的，礼就好比是冷水，礼数周到哪会有什么灾祸？”

子产处理政事的方法，是在于举用贤人。冯简子有判断力，能断大事。游吉是仪表堂堂、而又富有文采的人。公孙挥熟习国际间各国的动态，对于各国大夫的家族姓氏、禄秩爵位，都知道得清楚，又极会说话。裨谌有谋略，在野外静僻的地方考虑问题，就能找出解决的方法，在热闹的都邑考虑问题，就想不出办法。郑国遇到与诸侯发生纠纷的问题，子产就向公孙挥询问诸侯各国的情况，并要他多准备些对答的辞令；然后与裨谌乘车到乡野去筹划应对的各种策略，然后告诉冯简子，请冯简子来做一选择和决断；一切都准备好了，就交给游吉，让游吉去执行，如此去应对宾客。所以子产的外交很少失败过。这就是北宫佗说的有礼。

郑国人在乡校（乡校，就是学校，又是乡人聚会的公共场所）聚会，批评时政。郑大夫鬷蔑对子产说：“把乡校给关闭了，怎么样？”子产说：“干吗要那么做！乡校是国人工作完毕、谈天休息的地方，在那里他们可以批评时政的好坏、得失。他们有好评的政治措施，我们继续做下去；他们风评不好的政治措施，我们赶快改过来，这是我们的老师。为什么要把乡校封闭呢？我听说诚心行善可以减少怨恨；我倒不曾听过强硬威吓可以防止怨恨。如果用强硬手段，未尝不能立刻堵住大家的嘴，但是治理人民就像治理河流一样：河流大决口所伤害的人一定多，那时候，我们就来不及救人；不如给河流开个小口使它通畅——这就是说不如让国人的意见随时发表，我听到之后把那些批评当作治国的医药来使用。”

鬷蔑说：“我鬷蔑如今才知道您是真有才干。我不成才。如果真能依您去做事，郑国全靠您了，岂止我们几个大臣受用！”

孔子听了这些话，说道：“从这件事来看，有人说子产没有仁厚之心，我不相信。”

罕虎想要尹何为自己所食采邑为邑宰。子产说：“尹何年纪轻，不知道他能否胜任。”罕虎说：“他为人很忠厚，我很喜欢他，我相信他不会背叛我。派他去学习学习，他就更懂得政治的道理。”子产说：“这可使不得，大凡一个人喜爱一个人，总是为他所喜爱的人找些利益。现在您喜爱一个人却要把政事交给他，这像一个还不会使刀的人就让他用刀去割东西，这会带来很大的伤害的。您喜爱人的结果，只是让被您所喜爱的人受到伤害罢了！那么还有谁敢让您来喜爱了。您对郑国来说，是一根大栋梁；栋梁是用来支撑屋椽的，栋梁折了，屋椽也就崩塌了，那么我就要被压在下面了。我怎敢有隐瞒而不尽言呢！您要是有一块漂亮的锦缎，一定不会让人拿它当实验去学剪裁衣服。大官、大邑，是我们个人身子所庇护、所寄托的地方，却让人拿它当实验去学习政治道理；这不知道要顶得上多少块漂亮的锦缎了。我听说学习了为政的方法，然后才能从事实际政治工作，却没听过在实际政治工作之中，学习为政的方法。如果一定要在实际政治工作之中学习，为政的方法必然会有损害的。譬如打猎，对于射箭和驾车的技巧一定要熟练，才能够捕获飞禽走兽。假如不会驾车，也不曾在车上射过箭，一上车就会一直担心车子翻了，车子坏了，哪里还有什么工夫去想怎么打猎？”

罕虎说：“您说得有理！我罕虎思虑不深。我听说大凡一位君子致力讲求大的和未来的事情，而一个小人专门讲求小的和目前的事情。我真是个小人！穿在我身上的衣服，我懂得该小心爱惜他，但大官、大邑是我的寄托和依靠，我却疏忽了轻视了。要不经你这么一说，我还真懵懵懂懂，不知道呢！前些日子，我曾说过：‘你尽力治理郑国，我管理我的家产，使我的身体有所寄托，这不该有什么问题吧！’从今以后我知道这是不行的。从今日起，我向您请求，即使我家的事情，也得听从您的才能去做。”子产说：“人心的不同就像人脸的不同，您的脸和我的脸不相同，我怎敢说您的心和我的心相同呢？不过，我心里觉得您这样做有危险，所以就和盘托出，告诉您了。”

罕虎认为子产是个忠于职责的人，所以把政权交付给子产。子产因此能够好好治理郑国。

徐吾犯之妹择夫

昭公元年（公元前 541 年）

郑国大夫徐吾犯的妹妹长得很漂亮。公孙楚已经和徐吾犯的妹妹有婚约，公孙黑也看上了她，就派人强送上聘礼，非娶她不可。徐吾犯不敢得罪这两位在郑国有权有势的人，非常忧虑，于是他告诉子产，要子产帮他解决这个难题。子产说："居然有这种事情，是我们郑国政治不上轨道，不单单是你担忧的事情。你看看你妹妹愿意嫁给谁，就把她嫁给谁。"徐吾犯就请他们俩人前来他家，告诉他们，由他妹妹来挑选他们俩人中的一位，两个人答应了。

公孙黑装扮得漂漂亮亮进入徐吾犯的家，在他家摆下礼品之后，非常潇洒地走出。公孙楚穿上军服进入他家，进入之后，向左右两边拉弓放箭，然后跳上车子，非常英武地走出。徐吾犯的妹妹从房子里看到了这些景象，她说："公孙黑真说得上潇洒、漂亮；但是我选公孙楚作我的丈夫。做男子汉的就得有个男子汉的样子，做女人的就得有女人味儿，这就合于常理。”结果，她嫁给了公孙楚。

这回公孙黑可生气了，于是把铠甲穿在里头去见公孙楚，想杀了公孙楚而强娶他的妻子。公孙楚知道了，抓起了长戈就追逐公孙黑，一直追到了大路口，就用长戈去击刺。公孙黑受伤而逃回去了，他告诉郑国的大夫们说：“我好心地去会见公孙楚，不知道他心怀不轨，所以我受伤了。”

晏子不更换住宅

昭公三年（公元前539年）

起初，齐景公想把晏子的住宅改建扩大，于是对晏子说：“你的房子靠近市场，房子又低湿，又狭小，四周的环境又吵闹，又污秽肮脏，那不适合你住。让我把你的房子重新改建，使房子大些，明亮些。”晏子辞谢说：“我的父亲和先人在那里安居，我实在不配继承先人的产业而住在那里。那栋房子对我来说已够奢侈了。况且，我住的房子靠近市场，早晨晚上容易找到要买的东西，这对我来说来是件方便的事。我怎么敢麻烦大家为我造房子。”景公笑着说：“你住的靠近市场，你知道物价吗？”晏子说：“既然从市场得着许多方便，我怎么不知道物价？”景公说：“哪样东西贵？哪样东西便宜？”在那个时候，齐景公滥用刑罚使很多人被砍掉了脚，有卖拐杖的人，所以晏子故意说：“拐杖的价钱贵，而鞋子的价钱便宜。这因为我主刑罚复杂，大家的脚都被您砍掉了，用不着穿鞋的缘故。”景公因此减轻刑罚。由于晏子已经把拐杖贵、鞋子便宜的事情告诉了景公，所以在鲁昭公三年，他出使晋国，与晋大夫羊舌肸谈到这件事。

君子评论说："仁人的一句话都能造福大众。晏子的一句话，齐景公就减轻刑罚。《诗经》上说：'君子如行善，祸乱即止断。'大概指这种事情吧！"

等到晏子出使晋国，景公就把晏子的房子改建扩大了。当晏子回国时，新房子已经盖好了。晏子拜谢景公给他建造的新房子之后，随后就把新房子拆毁了。齐景公因改建晏子的房子，而把四周的房子全拆除。这时候晏子把这些拆除的房子恢复了旧观，又请他的老邻居全搬回来住，晏子对他们说："俗话说：'不要卜问我们的房子如何？定要卜问我的邻居如何？'你们一定事先卜问过邻居的了！违背卜问是不吉祥的事。在上位的君子不可做出违背礼法的事，在下位的小民不可做出违背不吉祥的事，这是自古相传的规矩。我这小民怎敢违背不祥的事呢？"终于让他们全回旧宅居住了。原先景公不答应这么做，晏子因请托陈无宇帮忙，所以景公也就答应了。

孟僖子学礼

昭公七年（公元前535年）

鲁昭公七年，鲁昭公自楚国回鲁国的时候，孟僖子感到自己不懂礼是个大缺点，于是开始学习礼。凡是长于礼的人，孟僖子就跟他去学习。

鲁昭公二十四年（公元前518年）春天，在他临终之前，孟僖子召集了他家的大夫，对他们说："礼是人的躯干。一个人不懂得礼，就像一个人没有了躯干，人没有躯干是站不起来的，人不懂得礼在社会中也是站不起来的。我听说鲁国有一位达人，他的名字叫孔丘。孔丘是圣人的后裔，他的祖先原居住在宋国，他的六世祖孔父嘉在宋国被杀，他的家族就由宋国逃亡到鲁国。他的十世祖弗父何原当继位为宋国的国君，但让给了他的弟弟宋厉公。他的七世祖正考父辅佐宋戴公、宋武公、宋宣公三位宋国君主，前后由宋君三次任命，官位做到上卿，正考父官位越高越加谦恭有礼。所以他在鼎上铸有这样的铭文：'第一次任命，我弯十五度的腰去接受；第二次任命，我弯三十度的腰去接受，第三次任命，我弯六十度的腰去接受。我不在路中央大摇大摆地走，我沿着墙边走路，也就没人冒冒失失来侮辱我。稠的稀饭在这个鼎内，稀的稀饭也在这个鼎内，就用这些餬我的口，填我的肚子。'正考父是这样谦恭节俭。臧孙纥曾经说过：'有懿行美德的圣人，他本人不当大位，他的子孙必定有达人。'这个达人就是现在的孔丘吧！我要是去世之后，一定要把说（南宫敬叔的名）和何忌（即孟僖子）交给夫子，让他们去师事夫子，跟夫子去学礼，来安定他们的身份，使他们在社会上立得住脚。"所以孟僖子和南宫敬叔师事孔子。

孔子说："能够弥补自己缺点的，就是个君子。《诗经》说：'君子好榜样，取法又效仿。'孟僖子是值得取法效仿的。"

楚灵王乾溪之难

昭公十二年（公元前530年）

鲁昭公十二年冬天，楚灵王到州来（在今安徽省凤台）去打猎，队伍在颍尾（在今安徽省寿县、颍上县之交界处的正阳关）停驻下来。楚灵王命令楚国大夫荡侯、潘子、司马督、嚣尹午、陵尹喜带领军队包围徐（在今江苏省徐州一带），借此威胁吴国。楚灵王领兵在乾溪（在今安徽省亳县东南）扎营，作为后援。

正遇上天上下雪，楚灵王头戴皮帽，身穿秦国送的羽绒衣服，肩上披着深青色披肩，脚穿着豹皮做的鞋子，拿着鞭子出巡。楚大夫仆析父侍从。右尹然丹在傍晚谒见灵王，灵王接见他，在见他的时候，放下鞭子，脱掉了帽子和披肩，和他说道："过去，我们的先王熊绎和齐太公之子吕伋、卫康叔之子王孙牟、晋唐叔之子燮父、周公之子伯禽一同为周康王做事，他们四国都有周天子颁赐的珍宝，只有我们先王熊绎一人没有。我现在派人向周天子求宝鼎作为赏赐，周天子会给我们吗？"然丹对答说："周天子当然会给我王的了！从前，我们先王熊绎居住在偏僻的荆山（在今湖北省南漳县西），坐着柴车，穿着破衣，而来居住在这荆棘丛生的草原。翻山越水，才能侍奉天子；只有桃木做的弓，棘木做的箭，进贡给周天子取用。齐君是周天子的舅父，晋、鲁和卫的国君是周天子的同胞弟弟。这就是楚国没得到周天子的颁赐，而他们都有的原因。如今周天子和齐、晋、鲁、卫四国服侍我君王，他们会唯命是从的，他怎敢舍不得那个宝鼎呢？”灵王又说道：“从前我们的远祖昆吾是居住在过去许国（在今河南省许昌市）的地方，如今郑国人贪心许国的物产，把许国占据而不还给我们。假如我找郑国人要许，他们会归还我们吗？”然丹对答说：“那一定会给我王的了！周天子不敢爱惜宝鼎，郑国人哪敢爱惜许的田地？”灵王又问：“过去诸侯各国疏远我们楚国，而敬畏晋国，如今我把陈（在今河南省淮阳）、蔡（在今河南省上蔡）、东不羹（在今河南省舞阳西北）、西不羹（在今河南省襄城东南）四个城池扩大修筑，每个地方都有千辆兵车的军备。在此，你也是有功劳的。诸侯他们敬畏我国吗？”然丹对答说：“当然敬畏我王的了！这几个边疆地方的防御工事和军备力量就足够使诸侯敬畏的。况且又加上我们楚国本身的力量，哪一个诸侯国家敢不敬畏我王的！”

话说到这里，工尹路进来请问楚灵王说：“我王曾命我把玉圭剖开去做斧柄的装饰，我想请问我王要怎么个做法。”楚灵王就走过去看看。这时候，仆析父对然丹说：“您是楚国有名望的人。今天您跟我王说话对答，简直像应声虫，我们国家该怎得了呢？”

然丹说："我会把我对答的言辞磨得犀利去对付他。等我王出来，我的口下绝不留情，该辩该驳，毫不保留。"

楚灵王出来，又和然丹谈论。正巧左史倚相从旁边很快地走过。灵王说："他是一位好史官，你该好好照顾他。他能读《三坟》、《五典》、《八索》、《九丘》等上古时代的典籍。"然丹驳道："臣曾经问过他。从前周穆王想要逞其野心，周游天下，打算使自己的车马之迹无所不到。祭公谋父做了一首《祈招》诗谏阻了穆王的野心，穆王因此能够在他的祗宫（在今陕西省南郑县）寿终正寝。臣问左史倚相，知不知道《祈招》那首诗，结果他不知道。像周穆王如此近的事，他都不知，若问他远古的事情，他哪可能知道？"灵王说："你知道《祈招》之诗吗？"然丹答说："我知道。那首诗是这样的：'祈招的声音，幽静深沉，展示了德者之音。我王的行动，像洁白玉石、像闪烁黄金，纯洁灿烂而稳重。衡量人民的力量，克制自己的欲望，不做非分之想。'"

楚灵王揖谢了然丹，然后入室休息。然丹这一番话，使得楚灵王吃不进饭，睡不着觉。虽然接连好几天吃不进，睡不着，但是他仍然不能克制自己的欲望，终于灾难及身。

后来孔子评论说："古代有记载：'能做到克制自己，遵行礼法，就是一位仁者。'这句话说得真好！楚灵王如果能够这样，他哪会在乾溪那里受辱遇难呢？"

昭公十三年（公元前 529 年）

鲁襄公三十年（公元前 543 年）楚灵王当令尹的时候，杀了大司马薳掩，夺取了薳掩的妻室和财产。鲁昭公二年（公元前 540 年），楚灵王即位，又夺取薳居的田地。鲁昭公九年楚灵王尹把许人迁到夷（在今安徽亳县东南七十里），并把许大夫许围带回楚国做人质。蔡洧（wěi）受到灵王的宠信——当鲁昭公十一年楚灵王消灭蔡国（在今河南省上蔡县）的时候，蔡洧的父亲被楚军打死——灵王令蔡洧看守楚国国都，而向乾溪出发。鲁昭公四年六月，楚灵王与诸侯在申（在今河南省南阳）会盟，曾使越国大夫常寿过受到侮辱。楚灵王夺取了斗韦龟的采邑中犨（在今河南省南阳县附近），又夺取了斗韦龟之子斗成然的采邑，而任命斗成然为郊尹（郊尹是治理境交的官）——斗成然曾经侍奉过灵王幼帝公子弃疾。所以楚灵王对于薳氏之族及薳居、许围、蔡洧、斗成然都不以礼相待。这些人凭借楚灵王时丢官丧失职位的人的亲族，引诱越国大夫常寿过作乱，常寿过包围了楚国东境的固城（在今河南省息县东北），攻下了息舟（在今河南省息县与新蔡之间），在息舟筑城而居住下来。

鲁襄公二十二年（公元前 551 年）观起被楚康王车裂而死的时候，他的儿子观从在蔡国。观从就留在蔡国为蔡大夫朝吴做事。楚灵王灭蔡之后，就封他的幼弟公子疾于蔡。观从由于想报楚康王的杀父之仇，于是挑拨朝吴说："如果今天楚王不答应让蔡国复国，蔡国也就无法复国了。请在常寿过之乱乘机为蔡国复国。”于是他假借蔡公弃疾（即公子弃疾）的命令召回因楚灵王篡位而逃亡在晋国的公子比和逃亡在郑国的公子黑肱。到了蔡国都城的城郊，观从把实情告诉了他们，并胁迫他订了盟誓，然后偷袭蔡公。蔡公弃疾正准备吃饭，看见他们就逃走了。观从强迫公子比吃蔡公的食物，然后掘地为坎，杀牲而歃血，把一份盟书置于牲上，完成了假与蔡公订盟的仪式，就立刻遣使公子比等离开。观从自己向蔡人宣布说：“蔡公召来公子比和公子黑肱，准备把他们二人送回楚国，蔡公和他们盟誓之后，立刻差遣他们上路了。蔡公要亲自带兵跟去。”蔡国人聚在一起逮捕了观从，观从说：“公子比和公子黑肱已经跑掉了。蔡公的军队已经编成了，就是杀了我，又有什么用呢？”于是放了观从。接着，朝吴说：“各位乡亲，你们若能为楚王尽忠而死，不妨不听观从的话，等待事情的演变。你们希望安定无事，就不如帮助蔡公，好满足你们的希望。况且你们违反主上蔡公，会无所适从的。”蔡人都说：“那么就听从蔡公的。”于是拥护蔡公，并召公子比和公子黑肱在邓（在今河南省漯河市郾城区东南）举行了盟誓的仪式。由于这次起事必须依赖陈、蔡两国人民的力量，答应在事成之后允许陈、蔡两国复国。

楚国公子比、公子黑肱、公子弃疾、斗成然和蔡国朝吴，率领陈、蔡、两不羹、许、叶（shè，春秋小国为楚所灭，在今河南省叶县附近）的军队，和薳居、许围、蔡洧和斗成然四氏的族人向楚国郢都（在今湖北省）进发。到了楚国郢都郊外，陈人、蔡人为了要传扬复国的名声，请求建筑军垒，以夸耀军威。蔡公弃疾知道后，说：“军贵神速。况且，建筑军垒是一件劳民伤财的事。建筑一道篱笆营栅就可以了。”于是做了一道篱笆的军营。蔡公弃疾派两个党羽，须务牟和史猈（pí）先潜入楚都城，得到正仆人（太子的近官）的协助，杀了太子禄和公子罢敌。

公子比即位为王，公子黑肱为令尹，军队驻扎在鱼陂（在今湖北省钟祥南）。公子弃疾为司马，他一进入郢都就修缮王宫，并派观从追踪楚灵王的军队，并且对楚灵王的军队宣布：“先回来的仍旧做原来的官，后回来的就把鼻子给割了。”楚灵王的军队到达訾（zī）梁（在今河南省信阳）就溃散了。

楚灵王听到他儿子死的消息，自己从车上摔下来，然后说：“还有人能和我一样的爱子吗？”旁边的侍者说：“别人的爱子之心胜过你的爱子之心。像我这样老还没有儿子的人，一旦死了，我知道一定被丢在沟壑里的。”灵王说：“我杀了太多人的儿子，我能避免死后被丢到沟壑的命运吗？”

右尹然丹说：“让我们先在郢都的城郊等一等，听一听国人意见，怎么样？”灵王说：“众怒不可犯了！”然丹又说：“假如先进入大都邑躲一躲，然后再向诸侯求援兵，怎么样？”楚王说：“大都邑全背叛我了，我没地方可躲了。”然丹说：“假如逃亡到其他国家去，然后再听从那些大国替你安排，怎么样？”楚王说：“一个人一生只能有一次大运，我逃亡到他国，只是自取其辱。”然丹于是回到郢都。

楚灵王沿着汉水，准备到鄢（在今湖北省自忠，楚国的别都）去。楚大夫申无宇的儿子申亥说："我父亲再次冒犯国君的命令，国君没有杀他，哪还有比这更大的恩惠。对待国君不可太残忍，不可忘了别人给我们的恩惠。我决定追随国君。"于是寻找楚灵王，在棘闱（在今河南省新野东北）遇到了楚灵王，并和灵王一起回楚国。

夏五月二十六日，楚灵王自缢而死。申亥安葬了楚灵王，并用他自己的两个女儿陪葬。

观从对公子比说："不杀公子弃疾，虽然现在称王得国，也就像接受了一个祸害。"公子比说："我不忍心杀公子弃疾。"观从说："人家可忍心杀你。我可不忍心等着杀死你！"于是离开了。

郢都每夜都有人惊骇地喊道："老王回来了！"五月十八日的夜里，公子弃疾派人走遍各处，而喊道："老王回来了。"郢都的国人大吃一惊。并使斗成然跑去告诉公子比、公子黑肱说："老王已经回来了！国人已经把你们的司马公子弃疾杀了，不久就要到这里了！你们如果早一点结束自己的生命，可以避免侮辱。群众的愤怒就像水火一样，很难去对付。"又有人呼叫，由远而近，他们说："群众已经到了！"于是，他们二人都自杀了。

五月十九日，公子弃疾就王位，更名为熊居，是为楚平王。楚平王把公子比葬在訾——即是訾敖。平王又杀一囚犯，给死囚穿上楚灵王的衣服，把尸体放在汉水上漂流，然后再从汉水中捞起，把尸体给埋葬了，用这种欺骗的方法，说楚灵王已死，来安定国人。任命斗成然为楚国的令尹。

楚国撤退去年讨伐徐国的军队，吴国人在豫章（在今安徽省寿县西四十里）击溃楚军，掳获了楚军的五位统帅荡侯、潘子、司马督、嚣尹午、陵尹喜。

楚平王立刻让陈、蔡两国复国；灵王时所迁移各地的人民，均准许他们返回原来所居之地；平王起事之初，答应人们的好处，现在都如约履行；布施人民生活物品，减轻人民赋税劳役，宽赦罪犯，举用丧失职位的人。然后，平王召见观从，问道："你有什么愿望？"观从答道："我的先人担任卜官的助手。"于是任命他为卜尹，掌管占卜之事。

差使枝如子躬到郑国报聘，准备交还楚国侵占的犨（在今河南省鲁山东南）、栎（lì，在今河南省禹县）二邑的田地，以敦睦邦交。朝聘典礼举行完毕之后，枝如子躬没有把犨、栎两地的田地交还郑国。郑人请问他说："我们听到路上的传言，楚君有把犨、栎二邑交给我郑国君主的命令，我们冒昧地要求您把这道命令交给我们。"他答道："臣没得到那样的命令。"等他回楚交代任务，平王问起犨、栎的事，枝如子躬脱去上衣，向平王请罪说道："臣犯了错误，违背了您的命令，没有把犨、栎二邑交给郑国。"平王紧握他的手，说："你不要这样责备自己！先回家休息。我要是有事，再通知你。"

几年之后，申亥把灵王的棺材所在告诉了平王，于是把灵王改葬了。

起先，楚灵王卜问："我可能得到楚国的天下吗？"卜兆所示，不吉。灵王就把龟版扔掉，责备老天，大声呼叫道："上天连这样小的东西都不肯给我，我一定要自己去取得。"人民害怕楚灵王的欲望无穷，所以追随平王的起事队伍，就像是回家一样的心情。

起先，楚共王的嫡配没有生子，庶妻所生宠子五人——康王、灵王、公子比、公子黑肱和平王——不知道立哪一位为继承人才好。因此，楚共王隆重祭祀星辰山河之神，而祈祷说："请群神在这五个儿子之间，选择一个，作为国家的继承人。"拿一块玉璧遍示山川星辰诸神，说："正对着玉璧下拜的人，就是群神所立的楚君。每个人都得听他的！"然后，共王和宠妾巴姬秘密地把玉璧埋在楚国祖庙太室的庭院中，使五个人斋戒，依照长幼次第进入拜神。康王两足各在玉璧的一边，灵王则一只手肘压在玉璧之上，公子比、公子黑肱拜神的位置距离玉璧很远；平王年纪小，抱进来拜神的，前后拜两次，都压在璧纽上。斗韦龟知道平王当立，所以嘱咐他的儿子成然要好好侍奉平王，并且又说："共王先是废弃了立长之礼而求神问卜，后来又违反了神的意旨而仍立年岁较长的康王，这两种做法都不对的，楚国恐怕很危险不安了。"

公子比从晋国回楚国的时候，韩起问羊舌肸说："公子比这趟回国起事能成天吗？"羊舌肸说："很难。"韩起又说："他们所讨厌的目标相同，就像商人各求所欲。他们起事又有什么困难的呢？"羊舌肸说："公子比没有和他气味相投的同好之人，那么，谁又跟他讨厌相同的事呢？取得一个国家有五个难题。第一个难题是有宠爱的人，但缺少人才。第二个难题，有人才，但缺少有实力的人撑腰。第三个难题，得到实力之人撑腰，但缺少谋略。第四个难题，有谋略，但缺少群众拥护。第五个难题，有群众拥护，但本身缺少德望去实行。公子比逃亡到晋国有十三年了。晋、楚两国人士和他交往的，不曾听说过有什么才智之士，可以说他没有人才。他的族人全没有了，亲戚也都背叛他，可以说没有力量替他撑腰。没有机会，就仓促行动，可以说他没有谋略。一辈子流亡在外，可以说他没有群众。他逃亡在外的楚国人丝毫无思念他的征象，可以说他没有德望。楚王虽然暴虐，但他并不忌刻贤人；楚人立公子比为楚王，通过五个难题，而弑杀楚国旧君。谁能够帮得了他？取得楚国的，大概是公子弃疾吧！公子弃疾虽然得到陈、蔡两个封地，但是楚国方城（在今河南省方城东北）之外的地方也归给了他；他没有烦杂的政令，也不胡作非为；他治理的地方，盗贼都销声匿迹了。他不违反人民的私欲，人民对他没有怨心；他还受群神之命，理应为王，所以人民信赖他。每当楚国王族发生变乱，必是少子得立为主，这是楚国的常例。公子弃疾一得群神之命，二有群众支持，三声誉德望具备，四在楚国既贵又宠，五合于楚国王位承继的常例。有五种优越条件去排除五个难题，谁能阻挡他承继楚国王位呢？说到公子比，他的官不过右尹；论他的贵与宠，则不过楚王庶子；根据群神的指命，他距离得很远。他具有的高官现在已经丢了；他受到的宠幸现在已经没了，人民没有怀念他的，国内没有支持他的。他凭什么能够立为楚王？”

韩起说：“齐桓公、晋文公也不是庶出，逃亡在外而起家的吗？”羊舌肸答道：“齐桓公是卫姬的儿子，被齐僖公所宠爱，并有鲍叔牙、宾须无、隰朋等贤大夫来辅佐他；有莒（在今山东省莒县）、卫两国外国力量支持；又得到国内的国、高两个大族内援。他服从真理，从善如流，斋戒肃穆，不私藏财货，不放纵欲望，而又能够施舍不倦，求善不厌，所以取得国家。这不是很应该的吗？再说我们先君晋文公：他是狐季姬的儿子，为献公所宠。专心好学，心不旁骛，十七岁的时候，就得五位才干士人。又有先大夫赵襄、狐偃为心腹之臣，有魏犨、贾佗为股肱之臣；有齐、宋、秦、楚外国势力的支持，得到国内的栾、郤、狐、先四家大族为内援；他出亡在外十九年，志向坚定。惠公和怀公抛弃的人民，人民追随文公，参与他的复国事业。献公没有其他的亲人，人民也没有其他的愿望。上天正在帮助晋国，那用谁来替代文公呢？齐桓、晋文二君和公子比是不相同的。楚共王还有其他所宠爱的儿子，楚国的国王尚在位上，对人民又无恩德，外国势力也没支持他的；离开晋国，没人为他送行；回到楚国，也没有迎接他的人。怎么可以希望他能够取得楚国的王位呢？”

子产与商人

昭公十六年（公元前526年）

有一对玉环，晋国大夫韩起有一只，另外一只在郑国商人手里。韩起向郑定公要郑国商人的那只玉环。子产却不答应把郑国商人的玉环给韩起，子产说："我全不知道，这不是国库里的东西，这是商人的私产。"郑国大夫游吉、公孙挥两人对子产说："韩起要我们郑国的东西也不多，我们郑国又不能不当晋国的忠实友邦。晋国、韩起我们可不能怠慢。假如，遇上挑拨离间的小人在晋国和我们郑国之间捣鬼，再遇上什么阴错阳差的，弄得晋国发怒，兴师问罪。到那时候后悔可来不及了。你为什么因为偏偏爱上一个玉环，而换来大国对我们的不满和仇恨呢？为什么不找我们商人要来那只玉环，送给韩起呢？"子产说："我这么做并非怠慢晋国，也不是对晋国不忠心耿耿。因为我想跟从晋国到底，所以不给韩起那个玉环。我这么做完全是守忠讲信的缘故。我听说一个君子不担心他有没有财产，一个君子担心他得到了职位而没有好的名声。我也听说治理一个国家，不担心该怎么去侍奉一个强国，该怎么去爱护一个小国；治理一个国家，就担心没有礼法来安定国家。如果大国的人命令小国，而他们的要求都能获得；那么小国怎能全都提供出来。一个给，一个不给；有的给，有的不给。这恐怕更得罪人吧！而且，大国的要求，若不依礼法拒绝，又怎么能满足他们的欲望呢？如果一味答应大国的请求，我们将会成为晋国的一部分，而忘了我们的国家。假如韩起是奉晋国之命出使我国，而他私人向我们要玉环，贪污得也太厉害了。这不犯法吗？找我们商人要一只玉环，引发两种罪状：一是使我们国家灭亡，二是使韩起成了贪官。我们何必要这么做呢！况且我因一只小小玉环而闯祸，不是太划不来了吗？”

韩起从郑定公那里得不到那只玉环，而从郑国商人那里买到了。买卖已经成交了，那位郑国的商人说：“一定得报告我们的执政，才能真正地成交。”韩起就向子产请教说：“前些时，我向你们郑国当局要这只玉环，执政不肯做不义的事情，我也就不敢再勉强你们了。如今我从你们商人手中买下了这只玉环，你们商人却说一定要向你执政报告。我冒昧请问你这是什么道理？”子产对韩起说：“从前，我们的先君桓公与我国的商人，原来住在镐京附近，后因镐京残破，一起离开镐京，迁到现在居住的地方。先君桓公和商人他们一对一对轮流耕田，斩除荆棘野草，共同居住在这个地方。当时为了互相信赖，桓公和他们订有盟誓，誓词说：‘你不可背叛我，我也不可强买你们的物品，也不可夺取你们的物品。你们有发财的珍宝和商品，我不可干涉你们的买卖。’靠着这个盟誓，我们的政府和商人合作无间，一直到现在。今天，您大驾光临，是为促进与我国邦交的，却指使我们政府强夺商人的财产，是教鄙国背弃过去的盟誓。这恐怕不太妥吧！您要是获得玉环，而失去诸侯的心，我相信您一定不会这么做。假若大国向我们郑国要个没完，要把我们郑国变成你们边疆的一部分，我们是不会做的。我如果把玉环献给你，我不知道那么做是根据什么道理。我冒昧地把个人想说的话都说出来了。”韩起辞谢了玉环，说：“我韩起是个笨人，才冒失去要玉，没想到这会引发两种罪过，一是失去诸侯的向心；二是破坏郑国盟誓。在此冒昧退还这只玉环。”

子产论政宽猛

鲁昭公二十年（公元前 522 年）

鲁昭公二十年，郑国子产生病，他对游吉说："我死之后，你一定当政。只有德行圆满的人才能够用宽大的政策去治理人民。退而求其次，不得已只好用严厉的政策去治理人民。譬如，火看起来是非常猛烈的，人民看到火就怕火，所以很少人被火烧死。水看起来柔弱温和，人民就喜欢戏水，而不当心水的危险，所以很多人被水淹死。总之，采取宽大的政策治理人民，很难。"

子产病了几个月就去世了。游吉接掌政权，治理国家。他不忍用严厉的政策去治理人民，而采用了宽大的政策。于是，郑国的盗贼多起来了，在萑（huán）苻沼泽（在今河南省中牟西北）地带掠人劫货。游吉很后悔，说："我要是早听子产的话，也不会弄到今天盗贼增加的局面。"于是，他起兵去攻打萑苻一带的盗贼，把那地方的盗贼全消灭了。郑国的盗贼稍稍收敛。

孔子听到子产去世这个消息，不觉淌下眼泪，说道：“他是古代仁民爱物留在今天的典型。”

晏子谏齐景公取消禳祭

昭公二十六年（公元前516年）

昭公二十六年冬天，齐国天空出现扫帚星，齐景公派人禳祭，请求上天祓除灾疫。晏子说："这是毫无用处的，只能骗骗人。上天是明智的，不会更改他的做法。禳祭又能怎么样呢？况且上天所以有扫帚星，就是要扫除天上的污秽。我主要是没有狗皮倒灶的事情，又为什么要禳祭呢？我主若有狗皮倒灶的事情，上天来扫除，又会有什么损失呢？《诗经》上说：'只有我们文王，做事小心翼翼。诚心敬事上天，于是百福并至。他的道德崇高，赢得四方敬礼。'我主如果没违背道德的事情，四方人士会来向我主致敬，还担心什么扫帚星呢？《诗经》上又说：'我们不需别的说教，只要看看夏朝和商朝，政治胡搞乱搞一团糟，结果人民四散鸟兽逃。'如果胡作非为，人民就会向外逃亡，祷告祭祀是无法补救的。"齐景公听了很高兴，于是取消了禳祭。

所以为女子，远丈夫也

定公四年（公元前 506 年）

鲁定公四年冬天，蔡昭侯、吴王阖闾、唐成公联兵攻伐楚国。吴国军队乘船从淮河过来，到达蔡国，把船弃置在河边。自豫章（今安徽省寿县西）起，吴国军队与楚国军队隔着汉水布下阵式。经过五次大战，吴国军队打到郢都附近。十一月二十八日，楚昭王带着他的妹妹季芈（mǐ）逃出郢城，涉过雎水（今湖北当阳之沮水）。针尹固和楚昭王乘坐同一艘船，昭王命令针尹固在大象的尾巴上绑着火把，并驱使这些大象冲向吴国军队，破坏吴军的阵容，阻止吴军的追击。

楚昭王涉过雎水，又横渡了长江，进入云中（即古代云梦大泽之中，这里云中是指今湖北省枝江南）。在他们一行人晚上睡觉的时候，当地的盗贼来偷袭他们，并用戈来击杀昭王，躺在昭王身旁的王孙由于就用背去挡,结果砍中了肩膀。昭王又往郧（yún，在今湖北省钟祥）逃亡，钟建就背着季芈，跟着走，王孙由于苏醒之后也跟着起程。

定公五年（公元前 505 年）秋天，楚国大夫申包胥与秦国的子蒲、子虎率领了五百辆兵车到达楚国，前来救楚。

于是，楚昭王又回入郢都。在他奖赏群臣之后，昭王要把他的妹妹季芈嫁人。季芈辞谢昭王说：“作为一个女子，一定要和男子保持距离，男女授受不亲。在我们逃亡的时候，钟建已经背过我了。”因此，昭王就把季芈嫁给了钟建，并任命他为乐尹之官（乐尹，掌管音乐的官）。

孔子与夹谷之会

定公十年（公元前500年）

定公十年春天三月，鲁国和齐国签订和约。夏天，鲁定公和齐景公在祝其相会，确切说在夹谷（祝其、夹谷均在今山东省博山南）。孔子为鲁定公赞礼的相，陪同定公去夹谷。齐大夫犂弥对齐景公说："孔丘那人很懂得礼节仪式，但不勇敢，胆子小得很。如果我们找莱夷人带着兵器劫持鲁国国君，我们必能称心如意，达成我们的愿望。"齐景公依从犂弥的意思，找莱夷人带着兵器准备劫持鲁定公。孔子发现这种情形，在众目睽睽之下，斥退身带兵器的莱夷人，并喊道："来人哪！把这些人拿下，杀了。两国的国君为了增进友谊的盟会，而这些蛮荒莱夷的亡国之民，居然带着兵器扰乱会场，我想这不是齐君对待其他国家的办法吧！蛮荒之人不可染指中原地区，夷狄不可扰乱华夏的安宁，囚俘不可干预会盟，也不可以武力来逼迫友好。不然的话，对鬼神就不吉，对道德就不义，对人事就不礼。我想您一定不会故意找莱夷人持兵器来要挟这次盟会的。”齐景公听了这番话，十分惭愧，尽快把莱夷人赶走。

将要盟誓的时候，齐国人在盟书的文字上加了这样的话：“将来齐国军队出境作战的时候，鲁国要是不派三百辆武装兵车跟我们去作战，便要受到这个盟誓的诅咒。”孔子亦赶紧要鲁大夫兹无还作揖，对齐国人说：“你们齐国不还我们鲁国汶阳田（在今山东省宁阳北）的土地，而我们答应提供兵车，你们也受到这个盟誓的诅咒！”

齐景公将以飨宴招待鲁定公。孔子对齐国的大夫梁丘据说：“齐国和鲁国的老规矩，您难道没听说过？盟誓已经完成，而又设飨宴招待，是让管事的人白费气力，多此一举的。况且牛尊啦、象尊啦，这些礼器根本不带出宗庙的大门，钟啦、磬啦，这些乐器也不能在旷野上演奏。如果为了飨宴，把所需要用的礼器、乐器全都搬到这里，这是置礼法于不顾的做法。如果全没带出来，这就好比，舍弃鸡鸭鱼肉山珍海味不用，而用粗米野菜来招待贵宾。用粗米野菜是侮辱国君，弃礼不顾就有恶名。您何不好好考虑考虑？飨宴是一件给人恩惠、增加友谊的事情；如果弄巧反拙，不如取消飨宴好了。”结果齐国取消飨宴。

后来，齐国归还鲁国郓（yùn，在今山东省郓城）、讙（huān，在今山东省泰安西南）和龟阴田（在今山东省泰安）的三块土地。

齐、鲁清之战

哀公十一年（公元前484年）

鲁哀公十一年春天，齐国因为去年鲁国曾经驻军在郋（xì，在今山东省蒙阴之北，复兴县之南）的缘故，命令国书、高无丕率领军队讨伐鲁国，大军开到清（在今山东省长清东南）的地方。鲁国的执政季康子对他的宰官冉求说："齐军开到清的地方，必定是来攻打鲁国的。怎么对付这件事呢？"冉求说："您带领军队防守国都，另外，孟孙氏和叔孙氏两家人带领他们自己的军队到边境抵抗。"季康子说："这是办不到的。"冉求说："那么您就使他们两家带兵在境内防守好了。"季康子把这个计划告诉了孟孙氏、叔孙氏两家人，但这两家人居然还不肯答应。冉求说："既然连这都办不到，我们的鲁君就守城不出。您一个人统率军队，背城一战，不服从你命令的就不是鲁国人。鲁国都城中的家室比齐国的兵车要多，用一家人去对抗一辆兵车是绰绰有余的，您还有什么好担心的。孟孙、叔孙两家人不肯出力打仗也是很自然的！因为鲁国政权掌握在你们季氏的手中。在你当政的时候，齐国人来攻打我们鲁国，您要不出兵抵抗，这可就是您的耻辱了。这就大大不配当家执政了。”

季康子使冉求跟他去上朝，然后让冉求在党氏之沟的地方等他。叔孙州仇见到冉求，大声呼问鲁国对齐作战的事情，冉求回答道：“你们当高官的自然会有深谋远虑，我这个听差哪知道什么？”然后，孟懿子强问冉求，冉求答道：“我考虑到我的才能大小而对人说话，打量了我的力量大小而为人效力。”叔孙州仇说：“这分明说我不是个大丈夫，所以不愿跟我说齐国和我国作战的事情。”叔孙州仇回去之后，立刻检阅他家的军队。

于是，孟懿子的儿子孟武伯统率鲁国的右军，颜羽驾车，邴泄为车右。冉求统率左军，管周父驾车，樊须为车右。季康子说：“樊须的年纪小。”冉求说：“年纪虽然小，但他肯跟从我，遵守命令。”季氏的甲兵有七千人，冉求以武城（在今山东省费县）地方的三百人做他的步兵。年纪大的和年纪小的人防守鲁国的宫殿，驻军在雩（yú）门（鲁都的南门）的外边。过了五天，孟武伯所率领的右军才跟着来。

公叔公为见到守城的老弱，感慨得落下泪来，说：“徭役繁多，赋税很重，在上位的不能为国家谋事，作为国家的军士又不能为国家效命疆场，这怎么配治理人民呢？我既然说了这样的话，我能不勉力为国吗？”

鲁左军和齐国军队在鲁都曲阜城郊作战。齐军来自鲁都南边稷门之外；鲁国左军，不跨越护城河。樊须对冉求说：“不是跨不过去这道护城河，而是鲁国不相信您。请您与鲁军订立三条戒约，就能越过这道护城河。”冉求就照了樊须的话去做，群众都跟从过了护城河。鲁国左军攻入了齐军。

但鲁国右师溃败，齐军从后追击。齐军将领陈瓘、陈庄渡过泗水（水名，流经曲阜城北及城西），鲁军入城，孟子反走在军队的后头压阵；抽出一根箭，鞭打他的马，说：“不是我不怕死，走在后头是我的马走不快的缘故。”林不狃队伍中的一个兵卒问他说：“要不要快跑！”林不狃说：“我又不比谁差，为什么要快跑？”又问说：“那么要留下来？”林不狃说：“留下来又有什么好处？”林不狃就从容地走了，终于战死。

鲁国左军获得八十个齐国甲士的头颅，齐人军队溃不成军。夜间侦察敌情的侦探回来报告说：“齐军偷偷逃跑了。”冉求请求季康子派兵去追击，先后请求了三次，季康子都不答应。

孟武伯对人说：“我不如颜羽，而比邴泄强得多。颜羽作战勇敢，锐利而敏捷。我虽然心里害怕，不想作战，但我还沉得住气，保持缄默；而那邴泄，实在胆小，口里直喊：‘快点赶车逃命吧！’所以我比他强。”

公叔公为和他所宠爱的一个小童叫汪锜（qí）的共同乘一辆兵车作战，全都战死，两人的尸体都找到了，一起举行殡葬之礼。孔子说：“汪锜虽是一个小孩，却能拿起干戈保卫国家，可以不用童殇礼去安葬他。”冉求作战时，因车右樊须年幼，把樊须的矛拿过来，向前冲锋陷阵，所以能够杀入齐军。孔子说：“这样做是对的。”

季康子使冉求问孔子田赋

哀公十一年（公元前484年）

哀公十一年冬天，季康子准备按照田地抽取军赋，派遣冉求去问孔子的意见。孔子回答说："我不知道。"冉求一再地问了好几次，孔子都不回答，冉求最后说："您是国家的元老，很多事情都得听听您的意见才能去做。您为什么不说话呢？"孔子还是不回答。后来，孔子私下对冉求说："一个君子做事，要看看合不合于礼，施舍财物越多越好，义务劳动就得适度，收取赋税能少就少。这么说来，按丘（每丘十六井，约一百五十人左右）出军赋也就很足够了。如果不看合不合于礼，而贪求无厌，虽然依照田地抽取军赋，马上又嫌不足。而且，你们季孙氏如果依规矩去做事，周公所订的法典还存在；如果苟且去做事，问我干什么？"季康子根本不听，哀公十二年（公元前483年）春天，实施按田地抽军赋的办法。

黄池之盟

哀公十三年（公元前482年）

夏天，鲁哀公与周卿士单平公、晋定公、吴王夫差在黄池（在今河南省封丘西南）相会盟。

六月十二日，越国分两路出兵，攻打吴国，一路由越王勾践亲自率领，一路由越大夫畴无余、讴阳两人率领从南方出发。畴无余、讴阳率领的军队先到达吴国国都郊外。吴国的太子友、王子地、王孙弥庸、寿于姚诸人在泓上（即今江苏省吴县东南的横山）看到了越国军队。王孙弥庸看到了姑蔑（在今浙江省龙游北）地方的旗帜，说：“这是我父亲的旗帜——弥庸父前为越人俘虏，姑蔑人拿去了旌旗——我不可以看到仇人而不杀。”太子友说：“战争打不胜，国家会败亡的，请你稍等一下！”王孙弥庸不肯听太子友的话，集合他的徒众五千人去杀敌，王子地帮助他。六月二十一日，吴越两军大战一场。王孙弥庸掳获了畴无余，王子地掳获了讴阳。不久，越王勾践率兵赶到吴都城的郊外，王子地守城不出战。二十二日，吴越两军又大战一场。越军大败吴军，掳获了吴国的太子友、王孙弥庸、寿于姚诸将。二十三日，攻入了吴国的国都。

吴军派人到在黄池，向吴王夫差报告吴国战败、国都失守的消息。吴王夫差怕吴国战败的事情张扬出去，于是在营帐之内，手刃了七个信差，杀人灭口。

秋天七月七日，周、鲁、晋、吴诸国黄池盟会。吴、晋两国争着抢先歃血，也就是争着抢做盟长。吴国人说："在周室来说，我们是太伯之后，我们的资格最高。"晋国人说："在姬姓诸侯之中，我们是伯爵，你们是子爵，所以说我们的资格最高。"晋国大夫赵鞅对晋大夫司马寅喊着："天色已经晚了，盟誓大事到现在还没完成。这是我们两个人的罪过。我们把战鼓拿起来，击鼓整编队伍，我们两人拼个一死，到时候就知道谁是老大，谁是老二了。"司马寅说："请你先去吴国察看一下动静。"赵鞅察看吴国的情况之后，回来说："高官厚禄的人，不应满脸发黑，气色难看。如今吴王满脸发黑，气色难看。不知道是他的国家给敌人打垮了？还是他的太子死了？况且夷狄之人不够稳重，一定不能持久的。让我们稍微等待一下。"于是，让吴国人先歃血为盟。

吴王夫差想攻伐宋国，劫杀他们的男子，而掳回他们女子。太宰嚭说："可以战胜宋国，但不可久居宋国之地。"于是作罢，率兵回国。

冬天，吴国与越国讲和。

子路之死

哀公十五年（公元前480年）

卫国大夫孔圉娶了卫国太子蒯聩（kuì）的姐姐，生孔悝（kuī）。孔家的家臣浑良夫，个子高大，而又漂亮；孔圉死后，他和孔圉的妻子孔姬私通。当时卫国太子蒯聩逃亡在戚（在今河南省濮阳北）——太子蒯聩因得罪他父亲卫灵公的宠姬南子逃亡的。灵公去世之后，卫出公继位，出公是太子蒯聩的儿子，孔姬就派浑良夫和她弟弟蒯聩联络。蒯聩就和浑良夫说："假如你能帮我夺回权力，登上国君的宝座，我就许你穿大夫的衣服，坐大夫的车子，提升你为大夫；此外，我还特赦你三次死罪，而不杀你。"蒯聩和浑良夫就依据这个条件发誓合作。浑良夫并要求蒯聩许他以孔姬为妻。

哀公十五年闰十二月，浑良夫掩护太子蒯聩进入卫国的都城（在今河南省濮阳西南），并把蒯聩安排在孔家的外花园。天黑之后，他们两人穿着妇人的衣服，用头巾蒙着头，共同乘一辆车子，由寺人罗驾车，到达孔家的住宅，孔家的老家臣栾宁问他们是什么人，他们回答说是他们亲戚家的女仆人，于是进入孔家住宅。他们直往孔姬的房间去，在孔姬那里吃过饭之后，孔姬拿了一把戈带头去找孔悝，蒯聩率领五个全副武装的车装了盟誓用的猪跟在后面。他们在厕所中劫持了孔悝，强迫孔悝发誓结盟，然后又劫持孔悝到卫国观礼台之上，号召卫人。栾宁正准备喝酒，烤肉还没熟，听到卫国有乱，赶忙派人去告诉子路；卫大夫召获驾驶座车，在车上喝酒吃肉，故示从容无惧，奉卫出公去投靠鲁国。

子路正往都城的途中，遇到了卫大夫高柴向外逃走，高柴对子路说："城门已经关上了。"子路说："我先走近城门再想办法。"高柴说："不赶到城里去，灾祸就不会牵连到自己身上。"子路说："既然是吃人家的饭，就不能躲避人家的灾难。"于是高柴向外走，子路向城里走。

子路到达城门的时候，公孙敢挡在城门前说："卫君已经出城了，用不着再进去。"子路说："你公孙敢，只知要人家的利禄，当人家有灾难就溜之大吉；我仲由可不这样，得到人家俸禄的好处，一定去救人家的灾难。"子路等到有使者要入城，城门打开，才乘机进得城去。子路对蒯聩嚷道："太子杀掉孔悝又有什么用呢？你虽然杀掉他，一定有人会继他而起，继续反抗你。"子路并且对卫国群众叫："太子不勇敢，胆子小，把观礼台点上火，只要火烧了观礼台的一半，太子就会放下了孔叔（即孔悝），自己逃命。"太子蒯聩听到子路要放火烧掉观礼台，心中很害怕，就命令他的两个大力士石乞、盂黡走下观礼台去和子路格斗，最后把子路头上帽子的带子都割断。子路说：“一个君子死时，不脱掉他的帽子。”于是他把头上的帽子的带子重新系好而死。

孔子一听说卫国发生变乱，就说：“高柴会逃出来的，仲由是死定了。”

后来，孔悝居然拥立太子蒯聩——即是卫庄公。

子贡讥哀公诔孔子

哀公十六年（公元前479年）

哀公十六年夏天四月十八日，孔丘去世。鲁哀公哀悼孔子的诔文写着：“天老爷不体恤我鲁国，不肯给我留下这个国家的元老，让他保护我这个人的名分和地位。我孤独无依，悲伤成病。我真悲伤啊！尼父，你走了，我再也无法约束自己了。”

子贡说：“我主恐怕不能在鲁国安度余年了吧？夫子生前说过：‘失掉礼制，就会迷失方向；失掉名制，就会产生过失。丧失志气，就无目标；丧失地位，就是罪过。’夫子在世的时候，我主不重用他；等他去世，我主却用诔文来吊祭他。这不合礼制。在诔文中，我主自称‘我这个人’，这也不合于名制。我主在礼制、名制两方面全犯了错误。”

匠人围攻卫庄公

哀公十七年（公元前 478 年）

卫庄公在北宫做了一个梦，梦见有人登上夏朝昆吾氏所建造的观礼台，这个人披头散发脸朝北嚷道："我登上这个昆吾氏的废墟。小瓜绵绵，不断慢慢长。我是浑良夫，没有道理杀了我。我叫上天为我申冤。"

卫庄公亲自卜筮这个梦，由胥弥赦占问这个梦。但胥弥赦不敢说实话，说："没有什么祸害。"于是庄公赐给他一个城邑，他丢下了这个城邑，就逃亡到宋国去了。卫庄公再卜问一次，得到的爻辞说："像是一条红尾鱼，在河中横流游来游去，不得安定。有武力强盛的大国来侵略，会使国家灭亡。关上门，堵了洞，从后墙爬出去。"

冬天十月，晋国又来攻打卫国。当攻入卫国国都的外城，正准备进城的时候，晋国的大夫赵鞅说："停止！羊舌肸曾经说过：'趁人家发生内乱的时候，去消灭人家的国家，就会绝子绝孙，没有后人！’”同时，在城内的卫人赶跑了卫庄公而与晋国讲和。晋国人拥立了卫襄公的孙子般师以后，撤军回国。

十一月卫庄公从鄄（juàn，在今山东省濮城）回国，般师逃亡。从前，有一次卫庄公登上卫国国都城墙，向外眺望，看见戎州城（在今河南省濮阳，卫国城外）。庄公问那是什么，有人据实告诉他。庄公说：“我们是姬姓国家，怎么会有个戎州城呢？”就命令把戎州城拆毁。庄公使工匠做了太久的拆城工作，工匠心中不满。如今，庄公要驱逐卫国大夫石圃，他还没下手，石圃反倒先发难。十一月十二日，石圃结合那些工匠一起围攻庄公，庄公关上门，然后请求和他们讲和，石圃和工匠们不答应。庄公没办法，只好爬上北面的墙想逃走，但从墙上摔下来，跌断了大腿骨。戎州人恨庄公拆毁他们的城墙，因此也来攻打庄公。太子疾、公子青原来和庄公一起翻墙逃走的，结果被戎州人杀掉了。卫庄公逃到戎州人己氏的家中。从前，庄公在卫国城墙上看见己氏妻子的头发长得很美，就派人把己氏妻子的头发剪下来，做了他自己妻子吕姜的假发。庄公进入己氏家中之后，庄公把玉璧拿给己氏看，并说：“你让我活命，我就送你这块玉璧。”己氏说：“我就把你杀了，倒看你的玉璧能到哪里去呢？”于是把卫庄公杀了，而取走了那块璧。

卫人又拥立般师为卫国国君。

附录 原典精选

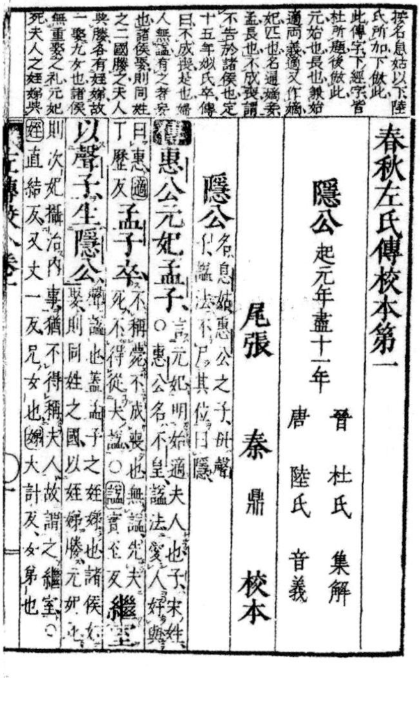

春秋左氏傳校本第一

隱公 起元年盡十一年

晉 杜氏 集解

唐 陸氏 音義

尾張 秦鼎 校本

隱公 名息姑，惠公之子，母聲子。謚法：不尸其位曰隱。

傳 惠公元妃孟子，言元妃，明始適夫人也。子，宋姓。○惠公名弗皇，謚法：愛民好與曰惠。適，丁歷反。孟子卒，不稱薨，不成喪也。無謚，先夫死，不得從夫謚。○謚，實至反。繼室以聲子，生隱公。聲，謚也。蓋孟子之姪娣也。諸侯始娶，則同姓之國以姪娣媵。元妃死，則次妃攝治內事，猶不得稱夫人，故謂之繼室。○姪，直結反，又丈一反，兄之女也。娣，大計反，女弟也。

按名息姑以下陸氏所加下倣此 此傳字下經字皆杜所題後倣此 元始也長也兼始適兩義適又作嫡 妃匹也名通嫡妻 孟長也不成喪謂不告於諸侯也定十五年姒氏卒傳曰不成喪是也婦人無謚有之者家也諸侯娶則同姓之二國媵之夫人與媵各有姪娣故一娶九女也諸侯無重娶之禮元妃死夫人之姪娣與

季梁谏止追击楚军

楚武王侵随，使薳章求成焉，军于瑕以待之。随人使少师董成。

斗伯比言于楚子曰："吾不得志于汉东也，我则使然。我张吾三军，而被吾甲兵，以武临之；彼则惧而协以谋我，故难间也。汉东之国随为大。随张必弃小国，小国离，楚之利也。少师侈，请羸师以张之。"熊率且比曰："季梁在，何益？"斗伯比曰："以为后图。少师得其君。"王毁军而纳少师。

少师归，请追楚师。随候将许之，季梁止之，曰："天方授楚，楚之羸，其诱我也。君何急焉？臣闻小之能敌大也，小道大淫。所谓道，忠于民而信于神也。上思利民，忠也；祝史正辞，信也。今民馁而君逞欲，祝史矫举以祭，臣不知其可也。"公曰："吾牲牷肥腯（tú），粢盛丰备，何则不信？"对曰："夫民，神之主也。是以圣王先成民，而后致力于鬼神。故奉牲以告曰：'博硕肥腯。'谓民力之普存也，谓其畜之硕大蕃滋也，谓其不瘯蠡（cù lǐ）也，谓其备腯咸有也。奉盛以告曰：'洁粢丰盛。'谓其三时不害而民和年丰也。奉酒醴以告曰：‘嘉栗旨酒。’谓其上下皆有美德而无违心也。所谓馨香无谗慝也。故务其三时，修其五教，亲其九族，以致其禋祀。于是乎民和而神降之福，故动则有成。今民各有心，而鬼神乏主，君虽独丰，其何福之有？君姑修政而亲兄弟之国，庶免于难。”

随侯惧而修政，楚不敢伐。

父与夫孰亲

祭仲专，郑伯患之，使其婿雍纠杀之，将享诸郊。雍姬知之，谓其母曰："父与夫孰亲？"其母曰："人尽夫也，父一而已，胡可比也？"遂告祭仲曰："雍氏舍其室而将享子于效，吾惑之，以告。"祭仲杀雍纠，尸诸周氏之汪。公载以出，曰："谋及妇人，宜其死也。"夏，厉公出奔蔡。六月乙亥，昭公入。

卫懿公好鹤亡国

冬十二月，狄人伐卫。卫懿公好鹤，鹤有乘轩者。将战，国人受甲者皆曰：“使鹤。鹤实有禄位，余焉能战。”公与石祁子玦，与宁庄子矢，使守，曰：“以此赞国，择利而为之。”与夫人绣衣，曰：“听于二子。”渠孔御戎，子伯为右，黄夷前驱，孔婴齐殿，及狄人战于荥泽。卫师败绩，遂灭卫。

王孙满答楚庄王问九鼎

楚子伐陆浑之戎，遂至于雒，观兵于周疆。定王使王孙满劳楚子。楚子问鼎之大小轻重焉。对曰：“在德，不在鼎。昔夏之方有德也，远方图物，贡金九牧，铸鼎象物，百物为之备，使民知神奸。故民入川泽山林，不逢不若；魑魅魍魉，莫能逢之。同能协于上下，以承天休。桀有昏德，鼎迁于商。载祀六百，商纣暴虐，鼎迁于周。德之休明，虽小，重也。其奸回昏乱，虽大，轻也。天祚明德，有所底止。成王定鼎于郏鄏，卜世三十，卜年七百，天所命也。周德虽衰，天命未改，鼎之轻重，未可问也。”

楚国送晋国的荀罃回国

晋人归楚公子谷臣与连尹襄老之尸于楚，以求知罃。于是荀首佐中军矣，故楚人许之。

王送知罃曰："子其怨我乎？"对曰："两国治戎，臣不才，不胜其任，以为俘馘。执事不以衅鼓，使归即戮，君之惠也。臣实不才，又谁敢怨。"王曰："然则德我乎？"对曰："两国图其社稷，而求纾其民，各惩其忿以相宥也。两释累囚，以成其好。两国有好，臣不与及，其谁敢德？"王曰："子归，何以报我？"对曰："臣不任受怨，君亦不任受德，无怨无德，不知所报。"王曰："虽然，必告不穀。"对曰："以君之灵，累臣得归骨于晋，寡君之以为戮，死且不朽。若从君之惠而免之，以赐君之外臣首，首其请于寡君，而以戮于宗，亦死且不朽。若不获命，而使嗣宗职，次及于事，而帅偏师以修封疆，虽遇执事，其弗敢违。其竭力致死，无有二心，以尽臣礼，所以报也。"王曰："晋未可与争。"重为之礼而归之。

病入膏肓

晋侯梦大厉，被发及地，搏膺而踊，曰："杀余孙，不义，余得请于帝矣。"坏大门及寝门而入。公惧入于室。又坏户。公觉，召桑田巫。巫言如梦。公曰："何如？"曰："不食新矣。"

公疾病，求医于秦。秦伯使医缓为之。未至，公梦疾为二竖子，曰："彼良医也，惧伤我，焉逃之？"其一曰："居肓之上，膏之下，若我何？"医至，曰："疾不可为也。在肓之上，膏之下，攻之不可，达之不及，药不至焉，不可为也。"公曰："良医也。"厚为之礼而归之。

六月丙午，晋侯欲麦，使甸人献麦。馈人为之。召桑田巫，示而杀之。

将食，张，如厕，陷而卒。小臣有晨梦负公以登天，及日中，负晋侯出诸厕。遂以为殉。

吕相绝秦

秦晋为成，将会于令狐，晋侯先至焉，秦伯不肯涉河，次于王城，使史颗盟晋侯于河东。晋郤犨盟秦伯于河西。范文子曰："是盟也何益？齐盟所以质信也，会所信之始也。始之不从，其何质乎？"秦伯归而背晋成。

夏，四月，戊午，晋侯使吕相绝秦，曰："昔逮我献公及穆公相好，戮力同心，申之以盟誓，重之以昏姻。天祸晋国，文公如齐，惠公如秦。无禄献公即世，穆公不忘旧德，俾我惠公用能奉祀于晋；又不能成大勋，而为韩之师，亦悔于厥心，用集我文公：是穆之成也。

"文公躬擐甲胄，跋履山川，逾越险阻，征东之诸侯——虞、夏、商、周之胤——而朝诸秦，则亦既报旧德矣。郑人怒君之疆场，我文公率诸侯及秦围郑。秦大夫不询于我寡君，擅及郑盟。诸侯疾之，将致命于秦；文公恐惧，绥靖诸侯，秦师克还无害：则是我有大造于西也。

“无禄文公即世，穆为不吊，蔑死我君；寡我襄公，迭我殽地，奸绝我好，伐我保城；殄灭我费滑，散离我兄弟，挠乱我同盟，倾覆我国家。我襄公未忘君之旧勋，而惧社稷之陨，是以有殽之师。犹愿赦罪于穆公；穆公弗听，而即楚谋我。天诱其衷，成王陨命，穆公是以不克逞志于我。

“穆、襄即世，康、灵即位。康公我之自出，又欲阙剪我公室，倾覆我社稷，率我蝥贼，以来荡摇我边疆。我是以有令狐之役。康犹不悛，入我河曲，伐我涑川，浮我王官，剪我羁马。我是以有河曲之战。东道之不通，则是康公绝我好也。

“及君之嗣也，我君景公引领西望，曰：‘庶抚我乎？’君亦不惠称盟；利吾有狄难，入我河县，焚我箕、郜，芟夷我农功，虔刘我边陲。我是以有辅氏之聚。君亦悔祸之延，而欲徼福于先君献、穆，使伯车来命我景公，曰：吾与女同好弃恶，复修旧德，以追念前勋。’言誓未就，景公即世。我寡君是以有令狐之会。君又不祥，背弃盟誓。白狄及君同州，君之仇雠，而我之昏姻也。君来赐命曰：‘吾与女伐狄。’寡君不敢顾昏姻，畏君之威，而受命于使。君有二心于狄，曰：‘晋将伐女。’狄应且憎，是用告我。楚人恶君之二三其德也，亦来告我曰：‘秦背令狐之盟，而来求盟于我，昭告昊天上帝、秦三公，楚三王，曰：‘余虽与晋出入，余唯利是视，不穀恶其无成德，是用宣之，以惩不壹。’诸侯备闻此言，斯是用痛心疾首，昵就寡人。寡人帅以听命，惟好是求。君若惠顾诸侯，矜哀寡人，而赐之盟，则寡人之愿也。其承宁诸侯以退，岂敢徼乱？君若不施大惠，寡人不佞，其不能以诸侯退矣！

“敢尽布之执事，俾执事实图利之！”

子产与商人

宣子有环，其一在郑商。宣子谒诸郑伯，子产弗与，曰："非官府之守器也，寡君不知。"子大叔、子羽谓子产曰："韩子亦无几求，晋亦未可以贰。晋国、韩子不可偷也。若属有谗人交斗其间，鬼神而助之，以兴其凶怒。悔之何及。吾子何爱于一环，其以取憎于大国也。盍求而与之。"子产曰："吾非偷晋而有二心，将终事之，是以弗与，忠信故也。侨闻君子非无贿之难，立而无令名之患。侨闻为国非不能事大字小之难，无礼以定其位之患。夫大国之人，令于小国，而皆获其求，将何以给之。一共一否，为罪滋大。大国之求，无礼以斥之，何餍之有。吾且为鄙邑，则失位矣。若韩子奉命以使，而求玉焉，贪淫甚矣，独非罪乎。出一玉以起二罪，吾又失位，韩子成贪将焉用之。且吾以玉贾罪，不亦锐乎。"

韩子买诸贾人，既成贾矣，商人曰："必告君大夫。"韩子请诸子产曰："日起请夫环，执政弗义，弗敢复也。今买诸商人。商人曰，必以闻，敢以为请。"子产对曰："昔我先君桓公，与商人皆出自周。庸次比耦，以艾杀此地，斩之蓬蒿藜藋而共处之。世有盟誓，以相信也，曰，尔无我叛，我无强贾，毋或匄夺。尔有利市宝贿，我勿与知。恃此质誓，故能相保以至于今。今吾子以好来辱，而谓敝邑强夺商人，是教敝邑背盟誓也，毋乃不可乎。吾子得玉，而失诸侯，必不为也。若大国令而共无艺，郑，鄙邑也，亦弗为也。侨若献玉，不知所成，敢私布之。”韩子辞玉曰：“起不敏，敢求玉以徼二罪。敢辞之。”

崔杼弑其君

齐棠公之妻，东郭偃之姊也。东郭偃臣崔武子。棠公死，偃御武子以吊焉。见棠姜而美之，使偃取之。偃曰：“男女辨姓，今君出自丁，臣出自桓，不可。”武子筮之，遇困（䷮）之大过（䷛），史皆曰“吉”示陈文子。文子曰：“夫从风，风陨，妻不可娶也。且其繇曰“困于石，据于蒺藜，所恃伤也。入于其宫，不见其妻，凶无所归也。”崔子曰：“嫠也何害，先夫当之矣。”遂取之。庄公通焉，骤如崔氏。以崔子之冠赐人。侍者曰：“不可。”公曰：“不为崔子，其无冠乎？”崔子因是，又以其间伐晋也，曰：“晋必将报。”欲弑公以说于晋，而不获间。公鞭侍人贾举，而又近之，乃为崔子间公。

夏五月，莒为且于之役故，莒子朝于齐。甲戌，飨诸北郭，崔子称疾不视事。乙亥，公问崔子，遂从姜氏。姜入于室，与崔子自侧户出。公拊楹而歌。侍人贾举止众从者而入。闭门甲兴。公登台而请，弗许。请盟，弗许。请自刃于庙，弗许。皆曰：“君之臣杼疾病，不能听命。近于公宫，陪臣干掫有淫者，不知二命。”公逾墙。又射之，中股，反坠，遂弑之。贾举、州绰、邴师、公孙敖、封具、铎父、襄伊、偻堙皆死。祝佗父祭于高唐，至，复命。不说弁而死于崔氏。申蒯侍鱼者，退谓其宰曰：“尔以帑免，我将死。”其宰曰：“免，是反子之义也。”与之皆死。崔氏杀鬷蔑于平阴。

晏子立于崔氏之门外。其人曰：“死乎？”曰：“独吾君也乎哉，吾死也。”曰：“行乎？”曰：“吾罪也乎哉，吾亡也。”曰：“归乎？”曰：“君死安归。君民者，岂以陵民，社稷是主。臣君者，岂为其口实，社稷是养。故君为社稷死则死之，为社稷亡则亡之。若为己死而为己亡，非其私昵，谁敢任之。且人有君而弑之，吾焉得死之。而焉得亡之，将庸何归。”门启而入。枕尸股而哭。兴，三踊而出。人谓崔子必杀之。崔子曰：“民之望也，舍之得民。”卢蒲癸奔晋。王何奔莒。

叔孙宣伯之在齐也，叔孙还，纳其女于灵公，嬖，生景公。丁丑，杼崔立而相之。庆封为左相，盟国人于大宫，曰：“所不与崔、庆者。”晏子仰天叹曰：“婴所不唯忠于君，利社稷者是与，有如上帝。”乃歃。辛巳，公与大夫及莒子盟。大史书曰：“崔杼弑其君。”崔子杀之。其弟嗣书而死者二人。其弟又书，乃舍之。南史氏闻大史尽死，执简以往。闻既书矣，乃还。

孔子与夹谷之会

定公十年春，及齐平。夏，公会齐侯于祝其，实夹谷。孔丘相。

犁弥言于齐侯曰："孔丘知礼而无勇，若使莱人以兵劫鲁侯，必得志焉。"齐侯从之。

孔丘以公退，曰："士兵之！两君合好，而裔夷之俘以兵乱之，非齐君所以命诸侯也。裔不谋夏，夷不乱华，俘不干盟，兵不逼好。于神为不祥，于德为愆义，于人为失礼，君必不然！"齐侯闻之，遽辟之。

将盟，齐人加于载书曰："齐师出竟而不以甲车三百乘从我者，有如此盟！"孔丘使兹无还揖，对曰："而不反我汶阳之田，吾以共命者，亦如之！"

齐侯将享公。孔丘谓梁丘据曰："齐、鲁之故，吾子何不闻焉。事既成矣，而又享之，是勤执事也。且牺象不出门，嘉乐不野合。飨而既具，是弃礼也；若其不具，用秕稗也。用秕稗，君辱；弃礼，名恶。子盍图之！夫享，所以昭德也。不昭，不如其已也。"乃不果享。齐人来归郓、讙、龟阴之田。